Siobhàn Parkinson

Le bleu du vendredi

Traduit de l'anglais (Irlande)
par Dominique Kugler

Neuf
l'école des loisirs
11, rue de Sèvres, Paris 6ᵉ

Du même auteur à l'école des loisirs

Collection NEUF

Le rire de Stella
Les trois premières notes

© 2012, l'école des loisirs, Paris, pour l'édition française
© Siobhàn Parkinson
Titre de l'édition originale : « Blue Like Friday »
(Penguin Books, Londres)
Loi n° 49.956 du 16 juillet 1949 sur les publications
destinées à la jeunesse : avril 2012
Dépôt légal : avril 2012
Imprimé en France par CPI Bussière
à Saint-Amand-Montrond
N° d'édit. : 1. N° d'impr. : 121371/1.

ISBN 978-2-211-20032-5

À Amy, Christie et Kate

1

Franchement, on n'a pas idée de faire un cerf-volant bleu !

— Réfléchis un peu, ai-je dit à Hal. Un cerf-volant, où est-ce que ça passe le plus clair de son temps ?

Il m'a dévisagée de son air un peu bête. Je sais qu'il n'est pas bête en réalité, il a la tête ailleurs, c'est tout. N'empêche que parfois on pourrait s'y tromper.

— Son temps *utile*, je veux dire, Hal. Quand il est en pleine action, tu vois ?

Nous étions dans son garage.

La mère de Hal avait voulu transformer le garage en salle de jeux, mais n'était pas allée au bout des travaux d'aménagement – ça, c'est tout à fait ma mère, commentait Hal, en levant les yeux au ciel –, si bien que la pièce était restée à mi-chemin entre le garage et la salle de jeux : avec du lino par terre, comme dans une pièce normale, mais avec une grande porte basculante.

Hal n'a pas pipé mot. Pour se taire, il est très fort. Il a beaucoup de choses à dire quand il veut, mais il sait aussi garder le silence comme personne. Je le *pilerais* quand il est comme ça !

Au lieu de le piler, ce jour-là, je me suis contentée de répondre moi-même à la question.

– Dans le ciel, il est dans le ciel, on est d'accord ? Et de quelle couleur est le ciel ?

Vous voyez où je voulais en venir, non ? Eh bien, Hal a simplement répondu – tenez-vous bien – qu'il fallait que le cerf-volant soit bleu. Bleu comme le vendredi. Non mais, on rêve !

– Le vendredi n'est pas bleu, Hal, lui ai-je patiemment expliqué. Vendredi, c'est un jour de la semaine.

– Le vendredi, c'est bleu, a insisté Hal.

Il s'est tu un instant, avant d'ajouter :

– D'un joli bleu clair, avec des volants.

Je fais d'énormes efforts pour comprendre Hal, mais ce n'est pas évident, je vous assure.

– Passe-moi la colle, a-t-il repris.

J'allais prendre le tube de colle quand il s'est écrié :

– Attention ! Surtout ne t'en mets pas sur les doigts, elle est ultraforte, cette colle. Elle t'arracherait la peau sans crier gare.

– Ce n'est qu'un tube de colle, Hal, ai-je commenté en le lui tendant. Il ne peut pas *crier*.

– Et c'est piquant, en plus, a-t-il poursuivi.

Là, j'ai hurlé.

– Quoi, tu l'as *léchée* ? Mais, tu viens de dire que ça pouvait arracher la peau !

Et là, une pensée affreuse m'a effleurée.

– Tu l'as *sniffée* ? Hal, il faut pas faire ça, c'est dangereux. Ça commence par te faire des trous dans le nez, et après ton cerveau devient mou comme de la guimauve, et tu meurs.

J'exagérais peut-être un peu (soit dit en passant, j'ai promis à ma mère de faire des efforts pour moins exagérer), mais c'est sûrement mortel au bout du compte et ça ne doit pas être très élégant de mourir la bave aux lèvres et sans pouvoir parler, à cause de tous les trous qu'on a dans le nez.

— Je parle du vendredi, pas de la colle, a précisé Hal.

Il est clair comme de l'encre, ce garçon.

— C'est le vendredi qui est piquant, dit-il. Ça a un petit goût de citron mais c'est sucré, comme le sorbet au citron.

Pour vous (j'espère) comme pour moi, vendredi est le jour qui vient après jeudi, et le jour où commence le week-end, youpi ! Alors que pour Hal, vendredi est une barquette de sorbet au citron bleu. C'est quand même assez étrange, non ?

J'ai défait le sweat-shirt que j'avais noué autour de ma taille pour l'enfiler. Il y avait plein de courants d'air dans l'ex-garage-future-salle-de-jeux de Hal.

— Explique-moi, Hal, ai-je repris. Explique-moi pourquoi vendredi est bleu.

Il a gardé le silence.

— Eh, tu m'entends ? Il y a quelqu'un ? ai-je

Richmond Hill Public Library
.   Check OUT Receipt

User name: LIU, CALVIN

Item ID: 32971013835693
Title: Le bleu du vendredi
Date due: May 20, 2014 11:
59 PM

Item ID: 32971006380517
Title: La reine du silence
Date due: May 20, 2014 11:
59 PM

Item ID: 32971013664796
Title: McGraw-Hill's SAT
Date due: May 20, 2014 11:
59 PM

Total checkouts for session:
3
Total checkouts:3

www.rhpl.richmondhill.on.ca

demandé en toquant à son front. Comment vendredi peut-il être bleu ?

– C'est dans ma tête, a répondu Hal en
m'écartant d'un geste du bras.

L'intérieur de la tête de Hal doit être un
endroit drôlement bizarre.

– Quand je pense au vendredi, je vois du
bleu. C'est tout.

J'ai fait bouger mes orteils glacés dans mes
sandales, en regrettant de ne pas avoir mis des
baskets et des chaussettes.

– Tu vis dans ta tête, c'est ça ton problème,
lui ai-je annoncé.

Il m'a fixée un bon moment, interloqué,
avant de répondre, en écartant les mains d'un
geste impuissant :

– Où veux-tu que je vive, sinon dans ma
tête ?

Ce qui tendait à prouver que j'avais raison.
Il aurait fallu répondre : «Dans le monde réel,
comme tout le monde.» J'ai essayé d'imaginer
l'effet que ça fait de penser que le vendredi est
bleu, mais je n'y suis pas arrivée.

– Moi, je pourrais dire que le vendredi est un jardin de roses, ai-je repris au bout d'un moment. Mais c'est une métaphore. Tu as entendu parler des métaphores, Hal ?

On avait eu un cours sur les métaphores, au trimestre précédent, et moi, j'adore les métaphores. Mais je crois que Hal n'écoute pas toujours en classe. Il passe son temps à griffonner ou à colorier des images. Alors, il avait pu passer à côté des métaphores.

– Mmm, a fait Hal, en prenant le cadre du cerf-volant pour l'examiner sous tous les angles. Oui, sûrement.

Je voyais qu'il ne m'écoutait qu'à moitié mais j'ai quand même fait l'effort d'expliquer :

– C'est quand tu dis d'une chose que c'est quelque chose d'autre, sans dire exactement que c'est autre chose ; c'est simplement qu'une partie du sens de cette autre chose efface la chose à laquelle tu pensais en premier.

Hal est resté bouche bée. J'en ai conclu qu'il avait dû m'écouter. Le menton pendant, comme ça, il n'était pas très séduisant. Pourtant, en général, il a plutôt un beau visage. Pas extraordinaire, mais rond et rieur, avec une grande frange et des sourcils épais.

Pendant que j'y suis, j'en profite pour vous dire que j'ai, moi aussi, un visage plutôt ordinaire, une bouille arrondie, constellée de taches de rousseur, et les cheveux clairs et bouclés. Avant, je disais « blonds », mais mon père se moquait de moi : « couleur paille, tu veux dire ? », ce que je ne trouvais pas très flatteur, alors maintenant je dis qu'ils sont clairs. C'est plus intéressant que blonds, de toute façon. Mais mes cheveux me rendent folle, parce qu'ils frisottent tout seuls, en faisant comme des petits tire-bouchons. Une fois, mon amie Rosemarie – si je peux l'appeler mon amie – m'a prêté son Babyliss. Je me suis retrouvée avec des espèces de mèches crêpelées, c'était pire que mes boucles. Du coup, j'ai laissé tomber.

— Donc tu vois, ai-je expliqué à Hal, quand je dis que le vendredi est un jardin de roses, cela ne signifie pas qu'il s'agit *vraiment* d'un jardin ou qu'il sent bon la rose, mais tout simplement que le vendredi, c'est bien. Tu vois ?

– Non, a répondu Hal.

– Sauf qu'on ne peut pas affirmer que quelque chose est «bien», parce que «bien» est un mot trop vague. Il faut utiliser une métaphore à la place. C'est comme ça qu'on écrit des poèmes. Les poètes n'emploient jamais de mots comme «bien». Tu as remarqué, Hal? C'est ce qui fait qu'ils sont poètes et pas nous. Ils trouvent toujours des façons plus élégantes d'exprimer des choses ordinaires. Ça sert à ça, la poésie.

– Mmm, a fait Hal.

Mon explication sur les métaphores et la poésie n'avait pas l'air de le passionner. Il écoute plus lentement que je ne parle, c'est ça le problème.

– De toute façon, rien n'est bien, en général, a-t-il fini par lâcher.

– Mais si, au contraire. Enfin, je trouve. Le vendredi, c'est bien, en tout cas; le gâteau au chocolat aussi, et les petits chats, et le soleil. Il suffit de penser à toutes ces choses-là; c'est comme ça qu'on est heureux.

– Mmm, a-t-il répété, d'un ton franchement sinistre.

2

« On a le droit de ne pas être *normal*, Olivia, disait ma mère à chaque fois que j'essayais de lui expliquer à quel point Hal était bizarre quelquefois. Alors Hal, en plus… Ce pauvre garçon ! »

Elle voulait dire : « Ce pauvre garçon qui n'a pas de père. » Enfin, il en a eu un, il y a très longtemps − je ne me souviens pas de lui, mais j'ai dû le connaître quand j'étais petite, puisque Hal et moi, on est amis depuis *toujours*.

Ça part d'un bon sentiment quand elle dit ça, ma mère, mais j'ai l'impression qu'elle ne peut pas voir Hal autrement que comme « ce pauvre garçon sans père ». C'est bien les adultes, ça ! Ils sont consternés par le Terrible Malheur qui afflige telle ou telle personne et ça leur fend tellement le cœur que quand ils la regardent, ils ne voient que cet Horrible Malheur et oublient la personne elle-même. C'est comme si cet Horrible Malheur s'était incarné dans l'individu en question et que, du coup, on ne pouvait plus voir autre chose en lui. Comme, par exemple, l'idée qu'il se fait du vendredi ou son talent pour fabriquer des cerfs-volants.

— De toute façon, la normalité n'existe pas, a ajouté mon père. (Je précise que mon père est économiste politique. Ne me demandez pas ce que ça veut dire, tout ce que je sais, c'est qu'il est capable de débiter de longues phrases dans un jargon incompréhensible.)

D'ailleurs, je me demande bien pourquoi ils continuent à palabrer sur la normalité. Je n'ai jamais dit que Hal n'était pas normal. J'ai juste dit qu'il était un peu bizarre. Il y a plein de gens normaux qui ont des côtés étranges.

Quant à ma mère, qui est normale, elle est très branchée sur la psychologie. Elle n'est pas psychologue professionnelle, ce n'est pas sa profession mais plutôt une sorte de passe-temps. Son métier, c'est de s'occuper des gens qui ont eu une crise cardiaque. Elle travaille dans la même clinique que la mère de Hal. C'est comme ça qu'on a connu la famille de Hal, parce que nos mères travaillent ensemble. Mais aussi évidemment parce que Hal et moi, on est dans la même classe à l'école. On se connaît depuis le jardin d'enfants. Unis comme les doigts de la main, on pourrait dire.

Ma mère écoute ces émissions de radio où des auditeurs appellent pour expliquer que si le monde va mal, c'est à cause des choses horribles que les gens ont vécues et qui les ont rendus malheureux ; comme ils sont malheureux, ils deviennent méchants et font subir, à leur tour, des choses horribles à d'autres gens pour les rendre malheureux, et ainsi de suite. C'est certainement vrai, jusqu'à un certain point. Les gens tels que ma mère estiment que si on pouvait faire en sorte que le monde s'arrête de tourner pendant quelques minutes, enfin disons plutôt pendant dix ans, on n'aurait plus ensuite qu'à relever nos manches et à s'attaquer à ce problème ; après quoi, on pourrait repartir de zéro, comme Adam et Ève, sauf que cette fois on serait au courant, pour le serpent : personne ne l'écouterait et tout irait pour le mieux.

Si vous voulez mon avis, ces gens disent n'importe quoi, parce qu'il y a énormément de problèmes dans le monde qui n'ont rien à voir avec ces trucs horribles dont on pourrait facilement se débarrasser en ouvrant avec un scalpel et en recousant soigneusement après. Prenez la rougeole, par exemple. Ou les moustiques. Ou les ampoules qu'on attrape dans des chaussures neuves. La rougeole *c'est* la rougeole, un point c'est tout, elle n'est pas provoquée par les mauvais traitements qu'une personne fait subir à une autre. J'ai essayé d'expliquer ça à ma mère et elle a répondu que, quand même, si nous étions tous bons les uns envers les autres, nous enverrions des vaccins antirougeole dans le monde entier, et comme ça, plus personne ne l'attraperait. Mais ça n'explique pas comment la rougeole est apparue la première fois, vous êtes bien d'accord ?

Et puis, de toute manière, si on arrivait à se

débarrasser de la rougeole, il y aurait autre chose. La grippe aviaire ou les tsunamis. Des trucs moches, il y en a forcément, par exemple le fait que Hal n'ait plus son père, et il faut faire avec, parce que même si on arrive à améliorer des tas de choses sur Terre, il en reste toujours plein de mauvaises. C'est comme quand on fait une division avec des nombres bizarres et qu'on a un résidu. Non, c'est pas le bon mot. Un reste. C'est ça, un reste.

Hal n'est pas dingue, il est juste un peu spécial. Mais il a un point commun avec ma mère (et je dois dire qu'elle est un peu zinzin, parfois, ma mère). Comme elle, il a ses idées sur la manière dont on peut arranger les choses. Par exemple, il était persuadé que s'il arrivait à se débarrasser d'une certaine personne, à la faire sortir de sa vie, tout rentrerait dans l'ordre, que tout redeviendrait comme avant, qu'il serait heureux et que la vie serait belle, une sorte de vendredi permanent, avec Adam et Ève, mais sans serpent.

Ou alors, les garçons ne voient pas les choses comme nous. C'est peut-être ça, après tout.

3

Hal a eu l'idée de fabriquer ce cerf-volant un jour où nous étions au bord de la mer, sur la Rive basse. C'est curieux qu'elle s'appelle comme ça, alors qu'il n'y a pas de Rive haute. Ne me demandez pas pourquoi. Ce n'est pas moi qui ai inventé la géographie. J'habite ici, c'est tout.

Ici, c'est-à-dire à Balnamara. Loin de tout, comme dit ma mère. Loin de tout ! C'est ridicule : n'importe quel endroit se trouve près de l'endroit voisin, où qu'il soit, non ? Ma mère veut dire, en fait, que c'est loin de Dublin ; elle ne jure que par Dublin. Et pour elle, nous sommes ici dans un trou perdu. Pourtant on a plusieurs feux de signalisation dans la rue principale et un hôpital à l'opposé de la plage. Il y a un parcours de golf juste à la sortie de Balnamara, et un nouveau restaurant thaïlandais vient d'ouvrir sur la place du Marché. L'ancien tribunal a été transformé en un centre d'art assez chic, avec un salon de thé où l'on vous sert toutes sortes de cafés fantaisie, dans de très hauts verres. Enfin, il y a un grand centre commercial avec un parking à horodateurs. On ne peut pas appeler ça un trou perdu.

La Rive basse est assez basse, comme son nom l'indique. Il s'agit d'un de ces rivages que la marée haute recouvre complètement, jusqu'à la digue. C'est pour ça qu'on ne l'appelle pas une plage, j'imagine. Elle n'a rien d'une plage de sable doré et ne donne pas envie de s'y allonger ; c'est une vaste étendue plate, grise, toujours humide et mal entretenue. On dirait que la marée est le plus souvent basse, d'ailleurs rien n'indique que la mer monte jusqu'ici, à part une forte odeur d'algues qui flotte dans l'air et de petites flaques d'eau tiède dans le sable crasseux, idéales pour patauger.

C'était l'été ou presque, sinon nous n'aurions pas été sur la Rive basse, mais juste avant les grandes vacances, une sorte de période intermédiaire. Le temps aussi était de demi-saison, pas chaud comme il devrait être en été, mais pas froid au point de mettre un manteau. Un peu indécis.

Hal et moi venions de barboter dans la marée qui remontait paresseusement. Comme la marée n'était qu'à mi-chemin, il n'y avait pas assez d'eau pour nager, et de toute façon on n'a le droit de nager qu'en présence d'un adulte. Alors que l'endroit est surveillé par un maître-nageur ! Et ça, c'est franchement rasoir. Mais voilà, c'est une façon comme une autre pour les parents (même ceux qui sont sympas) d'opprimer les enfants. C'est ce qu'ils appellent être responsables. Moi, j'appelle ça être casse-pieds.

À côté de nous, sur la plage, il y avait des petits. Je ne sais pas qui les laisse sortir tout seuls, eux ; ils avaient peut-être quatre ans. Enfin, disons sept ans, huit tout au plus. Ils étaient quatre en tout, et ils jouaient avec un cerf-volant, un cerf-volant multicolore avec un visage peint dessus, très drôle, et des serpentins violets qui virevoltaient derrière. Il y avait un peu de vent, le cerf-volant faisait des loopings à toute allure et les serpentins sifflaient au-dessus des têtes des enfants. Nous les observions tout en nous essuyant les pieds. Avec des mouchoirs en papier parce que nous n'avions pas de serviettes de bain. Je vous le déconseille : les mouchoirs en papier, ça ramollit, figurez-vous.

– J'aimerais bien avoir un cerf-volant, a dit Hal d'un ton rêveur en regardant celui des enfants s'élever au-dessus de nous.

– Eh bien, c'est facile, ai-je répondu. (J'ai l'esprit pratique, vous aurez remarqué.) Je crois qu'il y en a chez Spóirt na Mara. C'est le nom du magasin de sport du nouveau centre commercial. Très branché, d'après mon père.

– Oh non, je voudrais le fabriquer moi-même. Sinon, ce serait pas pareil.

Pas pareil que quoi ? Je n'ai jamais su.

Quand nous en avons eu assez de regarder le cerf-volant aux serpentins violets et les enfants, nous avons pris le chemin du retour d'un pas tranquille. Au bord de la Rive basse, il y a un passage rocheux juste avant la digue. Arrivé là, Hal s'est penché pour ramasser une poignée de petits galets qu'il a fourrés dans sa poche.

– C'est pour quoi faire ? lui ai-je demandé.

– C'est pour Lui. Pour mettre dans ses chaussures. Il faut que j'entretienne mon stock.

– *Qu'est-ce que tu racontes ?* me suis-je écriée, d'un ton soupçonneux.

Je vous ai bien dit que mon copain Hal était un peu farfelu ? Pas complètement fêlé, non ; disons, pour mettre les choses au clair, qu'il est parfois très, très bizarre. Et je sentais justement venir un truc du genre bizarre, avec son histoire de cailloux.

– Ben oui, a-t-il répondu le plus naturellement du monde, si tu mets un caillou dans chaque chaussure tous les soirs, ton stock s'épuise vite.

Alors, je vous explique : « Lui », le propriétaire des chaussures en question, c'est le beau-père de Hal, si on peut dire. Il s'appelle Alec, mais Hal en parle toujours en disant « Lui » ou « Il ».

Vous l'aurez deviné, Hal ne portait pas Alec dans son cœur.

Alec et la mère de Hal n'étaient pas mariés en fait. J'ignore pourquoi – puisque c'est le cas des gens de cet âge, en général – mais Hal avait sa théorie là-dessus : il pensait qu'ils manigançaient quelque chose, parce que Alec s'était installé chez eux quelques semaines auparavant « à l'essai », et Hal était persuadé que ça voulait dire qu'ils allaient sûrement se marier. Chose qu'il voulait à tout prix empêcher.

Laissez-moi vous dire qu'il se berçait de douces illusions. Quand un adulte a décidé de se marier, vous ne le ferez pas changer d'avis, et les enfants n'ont pas leur mot à dire, c'est clair, sinon « ça finit par des pleurs et des grincements de dents », comme dirait ma mère. (Ma mère n'est pas trop mal pour une adulte, mais, comme toutes les mères, elle a une collection de petites expressions horripilantes.)

– Tu mets des *cailloux* dans les chaussures d'Alec tous les soirs ?

Ma surprise a dû s'entendre à plusieurs kilomètres (ou milles, ou brasses, je ne sais plus comment on dit) en mer.

— Ouais, a confirmé Hal, désinvolte, comme si c'était une pratique courante.

— Mais c'est méchant ! Et inefficace, en plus.

— Comment ça « inefficace » ?

— Eh bien, réfléchis, Hal. Si tu trouvais des cailloux dans tes chaussures tous les matins, qu'est-ce que tu penserais ?

— Je penserais qu'un garçon très malheureux essaie de me lancer un message, de me faire comprendre que je ne suis pas le bienvenu dans sa famille.

— Non, Hal. Tu penserais plutôt ceci : pour je ne sais quelle raison totalement obscure, il y a des cailloux chaque jour dans mes chaussures ; par conséquent, il faut que je pense à les vider avant de les enfiler.

— Ah, a soufflé Hal, je n'avais pas pensé à ça.

— Alors, tu vois bien que ça ne sert à rien, ai-je insisté.

Mais je parie qu'il n'a pas arrêté pour autant.

Après, en lui posant encore quelques questions sur sa vie chez lui, je me suis rendu compte que, tout seul dans son coin, il montait des coups contre Alec. Il était bien décidé à lui pourrir la vie. Par exemple, il laissait couler le robinet d'eau chaude *exprès* pour gaspiller l'eau chaude. Ou bien quand il faisait très froid, il ouvrait les fenêtres, pour qu'ils aient une note de chauffage astronomique. Celle-là, elle remportait la palme, à mes yeux, et en plus on ne pouvait pas faire pire pour l'environnement. De toute façon, c'était sûrement sa mère qui payait les factures de chauffage, puisque la maison lui appartenait, mais j'imagine que Hal voulait l'embêter, elle aussi.

— Et le réchauffement climatique, qu'est-ce que tu en fais? lui ai-je demandé, quand il m'a révélé ce petit secret diabolique.

— C'est pas le chauffage qui sort par nos fenêtres qui va faire fondre les icebergs, a-t-il répondu sèchement.

— Je ne te parle pas des icebergs, gros malin, je te parle de la *calotte glaciaire*. Mais le problème n'est pas là. Le problème, c'est le gaspillage. C'est honteux !

— Tout juste, a-t-il rétorqué. Ils gaspillent leur argent. Ça leur apprendra.

— Mais non ! (Il m'énervait à la fin.) C'est un gaspillage de pétrole, une source d'énergie qui devient rare. Plus on utilise le chauffage, plus on consomme de pétrole et plus ça contribue au réchauffement climatique. Voilà ce que cela veut dire ! C'est totalement irresponsable de ta part, Hal.

— Ah oui ? Je n'y avais jamais pensé.

Il y en a des choses auxquelles Hal n'a jamais pensé, vous avez remarqué ?

— Hal, tu es vraiment bizarre comme garçon.

Et pas bien malin, en plus, ai-je ajouté mentalement, parce que si ton plan est d'empêcher ta mère de se marier, tu n'as aucune chance d'y arriver en mettant des cailloux dans les chaussures de son futur mari. Ça peut te procurer un certain plaisir, c'est sûr, mais comme plan pour influer sur la composition de ta famille, c'est zéro, si tu veux mon avis.

— Et puis de toute manière, ai-je dit, je ne comprends pas ce qu'il a de si terrible, Alec.

— C'est difficile à expliquer, a répondu Hal d'un ton qui sonnait faux.

– Bon alors, écoute, il est méchant avec toi ? Est-ce que… est-ce qu'il te bat ou – hum – un truc de ce style ?

Par « un truc de ce style », j'entendais ces choses horribles, comme on en lit dans les journaux, de ces trucs que certains adultes pervers font subir aux enfants et qui les font souffrir et les démolissent pour toute la vie. Je ne veux pas trop y penser, mais ça doit être absolument affreux quand ça vous arrive, alors j'ai fait un effort particulier pour écouter Hal, au cas où il m'aurait révélé ce genre de problèmes. J'étais assez fière d'y avoir pensé.

– Non, a répondu Hal. Il… Non, c'est pas ça.

– C'est quoi, alors ?

– C'est seulement qu'Il est… là. J'aimais mieux avant.

– Hum, ai-je marmonné.

– Il ronfle, a ajouté Hal. Je l'entends, même à travers la porte de la chambre.

– Il ronfle. Et alors, c'est un crime ?

– Non, et Il… euh, Il se cure le nez avec les doigts. Je l'ai vu, une fois.

Oh, beurk ! ai-je pensé, mais j'ai dit :

— Tout le monde se cure le nez avec les doigts, Hal. Quand on est seul, on peut. Il était seul ?

— Il se croyait seul, sûrement.

— Alors, ça ne compte pas. Quoi d'autre ?

— Il fait du bruit en buvant son thé. Et Il monopolise la télécommande.

— Hal, ce que tu décris, c'est un *humain*, avec ses habitudes d'*humain*. Point barre. Monopoliser la télécommande quand on en a l'occasion, tout le monde le fait. Il faut être un peu indulgent avec les autres. C'est la *vie*, ça, tu comprends ?

— Mais Lui, il n'a rien à faire dans *ma* vie, rétorqua Hal avec dureté. Je ne veux pas de Lui chez moi. J'aimais mieux quand j'étais juste avec ma mère.

— Mais écoute, ça fait des années qu'il est là ; il est temps que tu t'y habitues. Et si ta mère se marie avec lui, eh bien, comme ça, tu auras une vraie famille, hein ? Et c'est chouette, ça, non ?

J'essayais de mettre en avant le côté positif des choses, vous voyez, de lui remonter le moral, mais je crois que le problème, c'était tout simplement qu'Alec n'était pas son père. Ça n'avait pas grand-chose à voir avec Alec lui-même, en réalité. Je sais que ça fait un peu trop raisonnement psychologique, mais cela va de soi, non? Vous n'auriez pas forcément envie d'avoir, dans votre famille, quelqu'un qui n'en fait pas partie? Moi, c'est sûr que non. Je n'aime pas que les choses changent, et je crois que Hal est comme moi. Et un beau-père ou une belle-mère, on l'a pour toute la vie, pas seulement pour Noël.

Alec allait en voir de toutes les couleurs avec Hal. Je voyais venir ça gros comme une maison. Mais comme Hal était mon ami, il fallait que je sois de son côté. Quoi qu'il arrive.

4

J'ai deux autres soi-disant amies, Rosemarie et
Gilda, mais elles m'énervent souvent – au trimestre dernier, elles ont fait toute une histoire à
propos d'une veste et je leur en veux encore –,
donc, à l'école, je passe le plus clair de mon
temps avec Hal. Ce n'est pas la seule raison qui
fait que je suis copine avec Hal, bien sûr ; il y a
aussi que je l'aime beaucoup. Hal me fait penser
à ces petites souris blanches qui remuent tout le
temps le museau. On ne peut pas s'empêcher
de les aimer, même si ce mouvement nerveux du
nez est un peu agaçant.

Le seul autre garçon que je connaisse vraiment bien, à part Hal, est mon frère aîné, Larry.

Il est tout le contraire de Hal. Par exemple, il joue dans une équipe de foot. Hal est incapable de faire une chose aussi banale, vous pensez bien. Je sais dans quelle équipe joue Larry, mais je ne vous le dirai pas, parce que si vous avez une équipe favorite et que ce soit justement celle-là, vous pourriez penser que Larry est forcément un type super et vous seriez tenté de l'aimer, sans le connaître. Ce serait injuste, parce que Larry est la plus nouille des nouilles. Pas méchant, mais ennuyeux à mourir. D'après ma mère, le problème vient de notre différence d'âge : elle dit que quand je serai plus grande, je saurai apprécier les grandes qualités de Larry, et qu'en attendant je devrais lui accorder le bénéfice du doute.

Pour que vous compreniez mieux le problème que j'ai avec Larry, je vais vous donner un exemple.

« Si tu étais une cathédrale, m'a demandé Hal un jour, tu serais une cathédrale gothique ou romane ? » (On a fait les cathédrales à l'école, parce que notre prof adore les trucs super dans ce genre-là. On a la meilleure prof du monde. Je n'ai jamais vu un adulte aussi proche des enfants.)

Petite précision, on appelle ce jeu-là «biscuit», parce que ça a commencé par une question sur les biscuits : «Si tu étais un biscuit, tu serais un Kimberley ou un Mikado*?» Le jeu consiste à répondre à cette question et à expliquer son choix. Par exemple, je serais un Kimberley — vous savez, ces biscuits un peu visqueux enrobés d'un glaçage au gingembre — parce que j'ai un côté un peu piquant. Rosemarie et Gilda seraient des Mikados toutes les deux — roses, flo-conneuses, trop sucrées, et trop de sucre, c'est mauvais. Et ainsi de suite : «Si tu étais un person-nage féminin de la Bible, serais-tu Ruth ou Naomi?», «Si tu étais un guerrier héroïque, serais-tu Fionn Mac Cumhail ou Cú Chulainn?» C'est pas mal quand on aime ce genre de jeu, et ça permet de découvrir chez les gens des choses qu'on ne soupçonnait pas.

---

* Le Mikado est une sorte de marshmallow fourré à la confiture et enrobé de noix de coco rose.

– Je préférerais être le Colisée, plutôt qu'une cathédrale, est intervenu Larry.

Voilà, c'est typique de Larry. Il faut toujours qu'il se mêle de mes affaires, qu'il mette son grain de sel dans nos jeux, qu'il gâche tout, quoi.

Hal et moi, on s'est retournés d'un même élan pour protester, parce que c'est de la triche. On n'a pas le droit de changer la question. Si on permettait cela, le jeu n'aurait plus aucun intérêt. Rosemarie et Gilda seraient des maisons jumelles avec un gazon bien tondu et des petites haies bien taillées, mais bon, ce n'était pas la question posée.

– Le Colisée, c'est pas possible, ai-je dit sur un ton qui n'admettait pas de réplique. C'est une cathédrale ou rien. On ne peut pas changer les règles du jeu. Tu réponds à la question posée.

– Oh, pardon, pardon, a rétorqué Larry, je ne savais pas.

– De toute façon, ai-je répliqué, c'est pas à toi qu'on a posé la question.

Puis j'ai dit à Hal :

– Je serais gothique et toi aussi. Larry serait roman.

— Non, a protesté Larry. Je serais comme vous. Pourquoi il faudrait que je sois différent ?

Larry a beau avoir quelques années de plus que nous, il ne connaît rien aux cathédrales. Là où il va à l'école, ils ne font que des maths, du français et de l'économie, donc pas grand-chose d'intéressant. Mais ce qui est sûr, c'est qu'il est roman, Larry : symétrique, simple, un peu comme un pingouin ; avec lui, c'est tout blanc ou tout noir. Hal et moi, on est gothiques parce qu'on est un peu dans l'exagération, comme ces cathédrales avec des rosaces et des flèches ciselées, et avec des gargouilles pour le côté un peu monstrueux. Enfin bref, ce n'était pas vraiment la faute de Larry : il ne devait pas bien comprendre notre jeu, alors pour être sympa avec lui, j'ai proposé qu'on joue à « Mon œil d'espion voit* ».

Vous devez penser que c'est un peu bébé, comme jeu, et vous avez raison, mais Larry aime

---

* « I spy » : jeu pour les petits dans les pays anglo-saxons. Un des joueurs repère un objet situé dans la pièce et indique aux autres par quelle lettre commence le nom de l'objet. Les autres joueurs doivent deviner de quoi il s'agit.

bien y jouer (même s'il est pratiquement à l'âge de la retraite) ; seulement, il trouve toujours des trucs impossibles à deviner – comme «encoignure», ou «linteau», des mots qu'aucun individu normal de moins de trente-cinq ans ne connaît. L'ennui, c'est qu'on ne peut jamais l'accuser de tricher parce qu'il y a toujours l'objet en question dans la pièce où on est, alors il gagne.

Ça m'est égal qu'il gagne, mais on finit par s'ennuyer quand on sait qu'on n'a aucune chance de trouver la bonne réponse. Remarquez, ça permet d'apprendre plein de mots inutiles.

Au bout d'un moment, je me suis rendu compte que Hal n'essayait plus de deviner. C'était un mot qui commençait par «m» et j'avais passé en revue toutes les possibilités comme maison, moquette, miel et mille-feuille (normalement on n'a pas droit aux noms composés, mais j'étais vraiment à court d'idées). Quand j'ai regardé Hal pour chercher l'inspiration, il parlait entre ses dents.

– Qu'est-ce que tu marmonnes ? Une formule magique ?

— Mmm, a fait Hal.

— Mmm ? ai-je proposé comme réponse, quoique Mmm ne soit évidemment pas un objet (je vous l'ai dit, j'étais à court d'idées.)

Larry a secoué la tête. Il jubilait.

— Je suis en train de concocter mon plan, a repris Hal. Il faut que j'étudie les détails.

— Plan, ça ne commence pas par un « m », ai-je fait remarquer. Ce n'était pas tellement drôle, mais je commençais à me lasser de ce jeu.

— Non. Mais tu vois, j'ai intérêt à ce que ce soit parfait. Il faut pas qu'il y ait le moindre hic.

— Mosaïque ! ai-je proposé. C'était le « moindre hic » de Hal qui m'y avait fait penser. Nous étions dans la salle à manger et au milieu du guéridon qui sert de desserte il y a une petite mosaïque, mais comme elle est à moitié recouverte d'un napperon, on la voit à peine. Et du coup, ça ne m'était pas venu à l'idée.

— Tu vois ! s'exclama Larry, furieux. Voilà ce qui se passe quand je choisis un mot facile, tu gagnes. J'aurais dû m'en tenir à ma première idée qui était « méridienne ».

— Il y a une méridienne, ici ? ai-je demandé en regardant autour de moi. Je ne voyais pas exactement ce que c'était, mais je savais que c'était une sorte de meuble.

— Non, a rétorqué Larry. Notre canapé n'est pas une méridienne. C'est pour ça que j'ai finalement choisi « mosaïque ».

C'était tellement absurde que nous avons été pris d'un fou rire. Pendant un quart d'heure, tout ce que nous arrivions à dire, c'était : « Évidemment, "méridienne" est un mot plus difficile à deviner, le seul problème c'est qu'il n'y a pas de méridienne dans la maison.» Et notre fou rire repartait de plus belle.

Mais Hal, lui, était concentré sur autre chose. Au bout d'un moment, il a dit à Larry :

— Nous avons besoin de toi pour mon plan.

Notez bien ce « nous », fatal. Ce « nous » qui m'incluait, je le sentais jusque dans mes os, alors que je n'avais pas donné mon accord pour quoi que ce soit. J'ai levé les yeux au ciel. Je n'osais imaginer ce qu'il allait nous sortir, mais je devinais que ce ne serait rien de bon.

– Il nous faut quelqu'un avec une voix d'adulte pour laisser un message sur le répondeur, a expliqué Hal.

Le voilà qui recommençait avec son « nous ». De toute façon, je ne dirais pas que Larry a une voix d'adulte. Sa voix a plus ou moins un timbre de baryton, mais elle en est encore au stade où à tout moment elle peut brusquement grimper d'une octave. Enfin, disons quand même qu'elle ressemble plus à une voix d'adulte que la petite voix aigrelette de Hal.

– Non, Hal, ai-je répondu sèchement. Je ne sais pas ce que tu mijotes, mais laisse Larry en dehors de tout ça.

Je voyais d'ici ce qui se passerait si Hal nous entraînait tous les trois dans je ne sais quelle galère : au bout du compte, comme toujours, ce serait à moi de tout expliquer, et si Larry était dans le coup dès le début, il saurait tout, tout ce qu'il y aurait à savoir, et moi j'aurais un mal fou à aller jusqu'au bout de mon explication, parce que Larry n'arrêterait pas de répéter : « C'est la faute d'Olivia », sa phrase préférée.

Hal m'a dévisagée d'un air affligé. C'est difficile de décrire un tel air, mais en le voyant, vous comprendriez. C'est la tête que fait quelqu'un à qui vous venez de sortir quelque chose d'incroyablement choquant, de profondément vexant, et qui ne dit rien, par respect, par gentillesse ; alors, vous êtes tellement mal dans vos baskets que vous donneriez n'importe quoi pour lui prouver que vous l'aimez du fond du cœur et que pour rien au monde vous ne voudriez le blesser.

— Je suis sûr que Larry veut bien nous aider, a dit Hal. Et il n'y a rien à craindre ; c'est juste un canular, c'est tout.

— Nous, on donne pas dans le canular, Hal, ce n'est pas notre genre.

Ce n'était pas exactement ce que je voulais dire. Je sous-entendais que ce que Hal était en train de mijoter risquait d'être un truc assez dingue. Prenez le truc le plus dingue que vous puissiez imaginer, mettez-le au carré et vous obtenez à peu près le genre d'idées qu'il est capable d'avoir.

— Olivia, il faut que je me débarrasse de ce type, d'accord ? Tu veux m'aider, oui ou non ?

On aurait vraiment pu croire qu'il allait *assassiner* quelqu'un, mais moi je savais Hal incapable de faire quoi que ce soit de méchant. J'étais curieuse d'apprendre ce qu'il avait exactement derrière la tête. Et de toute manière, il me semblait important de l'empêcher de laisser couler les robinets d'eau chaude, rien que pour embêter son soi-disant beau-père ; ce serait accessoirement ma bonne action écolo de l'été. Donc, j'ai craqué et j'ai dit :

— Bon alors vas-y, explique.

— OK, je vais vous révéler mon plan, a répondu Hal, mais d'abord vous allez me promettre la plus grande discrétion. Top secret. Pas un seul mot là-dessus à des gens en âge de voter, sinon je ne vous dis rien. Promis ? Croix de bois, croix de fer, si je mens je vais en enfer ?

Croyez bien que s'il n'avait pas fait tant de mystère, nous nous serions complètement désintéressés de son projet et la suite ne serait pas arrivée, mais il m'avait accrochée, alors j'ai acquiescé. J'ai juré, croix de bois croix de fer, j'ai levé la main et promis le secret éternel.

Bien mal m'en a pris. Et le pire, c'est que je le savais déjà à ce moment-là, mais je n'aurais rien pu y changer, de toute façon. Parfois, on a conscience d'être dans l'erreur, mais on se laisse embringuer dans l'histoire, parce que l'autre personne n'en démord pas.

Aïe ! Aïe ! Aïe !

Si je racontais ça dans un film au lieu d'un livre, c'est à ce moment qu'on entendrait une musique qui donne le frisson, avec un battement sourd : tom-tom-TOM, tom-tom-tom-TOM, tchac-POUM, tchac-POUM.

Comme vous vous en doutez, rien ne s'est passé comme dans le plan.

5

Je parie que vous vous êtes demandé quand
j'allais revenir au cerf-volant. Je ne savais pas que
vous vous intéressiez tant aux cerfs-volants.
D'ailleurs ce n'était peut-être pas le cas avant que
vous ne commenciez à lire ce livre, mais maintenant vous avez envie d'en savoir plus, parce que
j'ai su vous accrocher. Je l'espère du moins.

Bon, le lendemain de notre conversation sur
le Grand Plan Secret, je suis allée chez Hal. Je
l'ai trouvé, cette fois encore, dans ce garage glacé,
entouré de tout son matériel pour fabriquer des
cerfs-volants. Le dernier en date était pratiquement terminé. On voyait bien qu'il s'agissait
d'un cerf-volant, sauf qu'il n'était pas très joli car

Hal ne l'avait pas encore peint : il avait une vilaine couleur de boîte à œufs, pas vraiment une couleur d'ailleurs, quelque chose d'assez fade.

Hal mélangeait des peintures, d'un air hyper-concentré. J'étais contente de le voir faire quelque chose de constructif et d'à peu près normal. J'osais espérer qu'il avait oublié son projet dingo pour se remettre à ses cerfs-volants. Quel soulagement pour tout le monde !

— J'essaie de trouver le bon bleu, a-t-il marmonné, lorsque je lui ai demandé ce qu'il faisait.

— C'est si important que ça ? (J'avais renoncé à le persuader de choisir une couleur plus adéquate.) Presque tous les bleus sont bien. (Encore ce mot « bien ». Les profs ont beau dire, c'est sacrément utile, comme mot.)

— Il faut que j'arrive au bleu du vendredi, m'a-t-il expliqué.

— Pourquoi ?

— Parce que.

— Ah ben, je comprends mieux, ai-je répliqué d'un ton sarcastique. En vain, parce que Hal ne remarque même pas quand on se moque de lui.

Curieuse de savoir de quel bleu était le vendredi pour Hal, j'ai renoncé à le questionner et me suis contentée de l'observer.

Il a passé un bon moment à mélanger des bleus, des noirs et des blancs, une petite noisette par-ci, une petite noisette par-là. Il a même mis une minuscule pointe de rouge. Je pensais que ça allait tout gâcher, mais non. Il m'a semblé au contraire que le bleu n'en devenait que plus bleu. Incroyable mais vrai.

— Voilà, a-t-il enfin déclaré, après avoir ajouté une grosse noix de blanc. Ça, c'est le bleu du vendredi. Il s'est rassis, un grand sourire aux lèvres, comme s'il avait remporté le marathon.

— C'est vraiment bleu ciel, ai-je observé.

C'était vrai. Ce bleu était magnifique. Le bleu du ciel, bleu céruléen. Un bleu à vous faire bondir le cœur. Un bleu tellement clair, tellement bleu qu'on n'arrivait plus à en imaginer un autre.

Il a haussé les épaules.

La peinture sentait bon. Quand papa ou maman repeint une pièce à la maison, la peinture dégage une odeur épouvantable, écœurante. Celle de Hal avait au contraire un parfum tiède. Je le lui ai fait remarquer. Il a plissé les yeux et m'a regardée intensément en disant :

– Très bien. Ça commence à venir.

Je ne voyais pas du tout ce qu'il voulait dire. Pour une fois, c'était moi ; d'habitude, c'était toujours l'inverse.

Il a peint tout le cerf-volant en bleu. On aurait dit un de ces grands papillons bleus, les ailes déployées. Nous avons attendu qu'il sèche puis nous sommes partis vers la plage pour son baptême de l'air.

Quand j'étais petite, mes parents m'avaient emmenée voir un tableau. (Alors que tant d'autres emmènent leurs enfants à Disneyland, mes parents nous traînent au musée... Enfin, passons.) Je ne me rappelle plus quel musée c'était, ni même le nom du peintre, mais je me souviens du tableau. On y voyait des gens flâner agréablement, un dimanche après-midi. Ils étaient tout endimanchés, habillés à l'ancienne mode, robes longues, costumes et chemises blanches à haut col. Dans mon souvenir, aucun d'eux ne jouait avec un cerf-volant, mais chaque fois que je pensais aux cerfs-volants, ce tableau me revenait en mémoire. J'imaginais plein de gens flâner tranquillement avec un cerf-volant qui dansait au-dessus de leurs têtes, et que tout le monde admirait ; les promeneurs échangeaient des sourires ravis et tiraient de temps en temps la ficelle dans une direction ou une autre.

Mais ce jour-là, ce fut tout autre chose. Généralement, on va à la plage à bicyclette ; cette fois, il fallait y aller à pied : le cerf-volant était trop grand pour être fixé sur un vélo. Quand nous sommes partis de chez Hal, il y avait déjà une bonne brise et, le temps d'arriver à la plage, le vent avait nettement forci. Au point qu'il fallait boutonner entièrement son manteau pour être sûr qu'il n'allait pas être arraché. C'est ce que j'ai fait : je n'avais pas envie de me retrouver toute nue.

– C'est super, a crié Hal. Avec ce vent, le cerf-volant va vraiment décoller.

Il ne croyait pas si bien dire.

Je ne sais pas comment Hal a réussi à lui faire

prendre de l'altitude. Il l'a lancé au loin à plusieurs reprises et, chaque fois, le cerf-volant claquait violemment pendant quelques secondes avant d'atterrir plus ou moins loin, comme un bon chien. Il redécollait, parcourait quelques mètres, pour retomber ensuite sur le sable où il sautait et se cabrait. Une fois immobile, il semblait réduit à l'état de détritus, comme un grand morceau de bâche bleue abandonné sur la plage. Alors, Hal a changé de tactique : il a donné un petit coup de poignet bien sec en le lançant et, tout à coup, le cerf-volant est parti dans les airs, plus haut, toujours plus haut. Hal trottinait et sautillait derrière lui, puis il s'est mis à courir, les pans de son anorak battant sur les côtés comme deux ailes.

Le cerf-volant était devenu une sorte de créature sauvage qui s'agitait furieusement et oscillait dans le vent en entraînant Hal dans sa course folle. Hal n'est pas très grand, même s'il est maigre, nerveux et très fort, comme je le pensais. Mais là, on aurait dit une poupée de chiffon en train de promener un grand chien fou au bout d'une longue laisse, le genre de chien qui passe son temps à sauter dans les poubelles, à renifler les chiennes en gémissant d'excitation ou à frotter ses quatre pattes par terre dans tous les sens.

Hal dansait donc au bout de la longue ficelle qui le reliait au cerf-volant, tiré par celui-ci comme un plumeau attaché à un poids lourd en excès de vitesse. Je commençais à avoir peur qu'il soit brusquement entraîné au-dessus de l'eau et je ne l'imaginais pas flotter gaiement comme Mary Poppins en faisant au revoir de la main. Non. Je voyais venir le moment où une bourrasque allait le précipiter vers le large, je l'imaginais s'écraser sur un rocher que la malchance aurait planté là, et ce serait fini, adieu Hal, adieu à jamais, j'ai été contente de te connaître, mon pote, mon drôle de pote.

– Halte-là ! Halte-là, les enfants ! a hurlé une voix par-dessus ce vent déchaîné qui faisait virevolter mes cheveux tout autour de ma tête.

« Halte-là ! » On lit ça dans les livres, mais moi, je n'avais jamais entendu quelqu'un crier « Halte-là ! » en vrai. Comme le vent emportait des bribes de sons dans toutes les directions, ça donnait des

« ah-euh-ah » : on aurait dit une mauvaise liaison avec un téléphone portable. Mais ça ne nous a pas empêchés de comprendre le message.

Nous nous sommes retournés. Ou plutôt, *je* me suis retournée. Hal, je ne sais pas ; il devait tournoyer au bout de la ficelle du cerf-volant.

La voix appartenait à un très gros monsieur, aussi gros que les frères Tweedle* et Bibendum réunis. À ses pieds jappait un chien riquiqui. Ce très gros personnage n'était pas comme un culbuto : il tenait solidement sur ses jambes. On aurait dit une montagne en marche. Avec des pieds relativement petits, cependant. Je m'étonnais que ses chevilles ne se déforment pas sous le poids de son corps. En plus, je me demandais où il pouvait bien trouver des vêtements à sa taille. Si on lui avait enlevé sa ceinture pour l'étaler par terre, elle serait allée jusqu'à Dublin. Non, j'exagère. Il faut que je perde cette habitude. Disons de chez moi à chez Hal.

---

* Les frères Tweedle (en anglais Tweedledee and Tweedledum), deux très gros jumeaux, sont des personnages de *De l'autre côté du miroir*, la suite des *Aventures d'Alice au pays des merveilles* de Lewis Carroll.

– Halte-là! a-t-il répété. Il nous faisait signe avec un bras long comme une branche d'arbre. A priori, c'était un Anglais, bien qu'il soit difficile de l'affirmer en entendant une simple interjection.

Il y avait quelque chose d'irrésistiblement drôle dans ce géant vêtu d'un immense pantalon, avec son minuscule chien qui sautillait autour de lui. J'ai avancé jusqu'à Tweedlebendum et me suis plantée devant lui en disant : «Oui?» sur un ton aussi digne que possible, compte tenu du fait que le vent me rabattait les cheveux dans la bouche.

Le petit chien s'est mis à me lécher frénétiquement les pieds de sa langue chaude et humide. J'ai trouvé ça assez agréable pendant deux ou trois secondes, mais après, ça m'a fait froid. Je me suis demandé si j'avais la peau salée.

Tweedlebendum a baissé les yeux vers moi et s'est remis à crier :

– Mademoiselle, veuillez dire à votre jeune ami de faire immédiatement redescendre son cerf-volant? On ne fait pas voler un cerf-volant avec un vent à décorner les bœufs. Allez, ouste! Et que ça saute! Pas de temps à perdre. Ce serait tout de même ballot de devoir le repêcher en mer, non ?

Il était anglais, sans aucun doute, mais pas de ces Anglais qu'on nous montre à la télé en train de boire des bières et de raconter des blagues. Il faisait plutôt penser aux personnages des vieux livres démodés et jaunis que Larry lisait à mon âge (des livres que lui avait donnés papa, qui lui-même les avait lus à mon âge). J'en avais lu un ou deux, moi aussi, et ils n'étaient pas si nuls que ça, mais ils s'adressaient plutôt à des garçons ; c'étaient surtout des histoires de naufrages qui ne m'intéressaient pas vraiment.

Il avait raison, ce monsieur Tweedlebendum. Ç'aurait été ballot d'aller repêcher Hal en mer, et j'étais plutôt soulagée qu'un adulte vienne jouer les gendarmes.

Je me suis retournée pour regarder Hal qui poursuivait toujours son cerf-volant.

— Ça m'étonnerait qu'il puisse le faire redescendre, ai-je dit à monsieur T. J'ai l'impression qu'il ne le maîtrise pas.

Poussant un gros soupir, monsieur T. est parti

d'un pas pesant en direction de Hal. Je l'ai suivi en trottinant.

Hal s'était arrêté. Il semblait avoir compris qu'en courant derrière son cerf-volant il ne faisait que l'encourager à virevolter à sa guise, alors il restait immobile et essayait de tenir bon. Parvenu à un ou deux mètres de Hal, Tweedlebendum a lancé d'une voix tonitruante : «Vous permettez ?», tout en tendant la main vers le cerf-volant, par-dessus l'épaule de Hal.

Hal était toujours accroché à la bobine – enfin je ne sais pas comment on appelle le truc sur lequel est enroulée la ficelle –, mais il a reculé pour faire de la place (beaucoup de place) à monsieur T. qui a attrapé la ligne assez bizarrement entre son énorme pouce plat et son index tout aussi énorme, comme un éléphant aurait saisi une sucette. Le cerf-volant s'est mis à tournoyer au-dessus de sa tête et à se jeter de côté comme un oiseau fou, mais Tweedlebendum n'a pas bougé d'un pouce. Il est resté à l'observer placidement pendant un moment, telle une énorme ancre humaine plongée dans ses réflexions. Au bout d'une ou deux minutes, il a fait signe à Hal de lui passer la bobine et, lentement, sans s'affoler, comme s'il ramenait au bout de sa ligne un inoffensif hareng, il a rembobiné la ficelle et récupéré le cerf-volant.

— Ah, merci, a marmonné Hal, mi-vexé, mi-reconnaissant. Il était cramoisi, dégoulinant de sueur et tout essoufflé de l'effort qu'il venait de faire pour maîtriser le cerf-volant fou.

— Avec plaisir, a poliment répliqué le gros monsieur en inclinant légèrement la tête (ma parole, c'était presque une révérence). À présent, jeunes gens, je ne saurais trop vous conseiller d'attendre une bonne brise pour sortir ce cerf-volant. Notez bien que j'ai dit une bonne brise et non pas un vent de force 10. Si on tient à son cerf-volant, on ne le fait pas voler quand souffle un quasi-ouragan.

Un « quasi-ouragan », il exagérait — et il avait fait exprès de mettre le mot « quasi » devant pour faire croire qu'il tenait à être précis —, disons qu'on n'était pas loin de la tempête.

— Eh bien, merci, a répété Hal.

— C'est tout naturel, a répondu Tweedleben-dum. Ah, au fait, il faudrait mettre une queue à votre cerf-volant. Pour le rendre plus stable, voyez-vous. Allons, maintenant, rentrez chez vous, tous les deux, et n'adressez plus la parole à des étrangers.

Bien sûr, nous avions complètement oublié qu'il ne faut pas parler à des étrangers, et on peut dire que celui-ci était pour le moins étrange. J'ai plaqué ma main sur ma bouche pour ne pas éclater de rire, mais il avait visiblement remarqué que je pouffais. Je ne pouvais pas m'en empêcher : sa façon de parler était tellement drôle ! Il a hoché la tête d'un air grave, comme si je l'avais déçu, mais s'est incliné encore une fois très légèrement. Après quoi il a sifflé son chien (alors que celui-ci était resté sagement assis à ses pieds pendant tout ce temps) et a repris tranquillement sa promenade.

Nous avons continué à l'observer tandis qu'il s'éloignait, tel un iceberg géant déguisé en homme. Le vent faisait violemment claquer les pans de sa veste, et sa cravate tourbillonnait, tan-tôt à droite, tantôt à gauche, mais lui, il poursui-vait imperturbablement son chemin. Au bout d'un moment, lorsque le vent s'est mis à souffler en brusques rafales, il s'est penché, a ramassé son petit chien qu'il a calé au creux de son bras puis il est reparti jusqu'à disparaître de notre vue.

— Il était moins une, ai-je dit à Hal, sur le chemin du retour.

— Ouais. J'ai cru qu'il allait se désintégrer.

— C'est pour toi que j'étais inquiète, Hal, pas pour le cerf-volant.

Il s'est arrêté net et m'a dévisagée.

— Pour moi ? a-t-il demandé, incrédule. Comment ça ?

— Parce que tu étais à l'autre bout de la ficelle, pardi ! Tu as failli être emporté au large.

— Mais non ! En tout cas, ça ne m'est même pas venu à l'idée.

— Eh bien, je peux te dire que le vent, lui, était prêt à t'emporter.

— Pas du tout, a rétorqué Hal.

Pourtant, un très léger sourire avait effleuré ses lèvres. Je crois qu'il était content que je me sois inquiétée pour lui.

Cette espèce de doux dingue !

6

Hal n'avait pas oublié le plan qui devait changer sa vie. Voici ce qui avait été convenu : Larry devait laisser un message sur le portable d'Alec le vendredi soir, après les heures de bureau. Message que Hal avait rédigé.

Ah ! une précision importante : Alec est peintre. Pas artiste peintre, non, peintre en bâtiment. Mon père dit qu'il gagne très bien sa vie, mais les gens pensent toujours que ceux qui exercent un autre métier qu'eux sont mieux payés. Enfin bref, il est peintre et il a une petite fourgonnette blanche et une combinaison de travail multicolore, à cause de toutes les taches de peinture qu'il a faites dessus au fil des années.

Le message que Larry était censé laisser sur le téléphone mobile d'Alec disait ceci :

Bonjour monsieur Denham, Clem Callaghan à l'appareil, directeur du service entretien de Balnamara General. Nous avons des travaux de peinture à faire faire en urgence. Il faudrait que vous soyez disponible demain matin à la première heure. Vous serez payé double, non pardon, triple, puisque c'est un week-end férié. Alors, voici l'adresse...

Suivaient les indications pour se rendre jusqu'au bâtiment à peindre dans l'enceinte de l'hôpital. En tournant à droite après le service de physiothérapie, il trouverait une construction tout en longueur avec une porte verte. Le message disait également que la peinture était sur place, qu'il n'avait pas à en apporter.

Rien d'autre. Tel était le plan génial que Hal était si fier d'avoir échafaudé. Il allait faire peindre à Alec un long bâtiment de l'hôpital local, situé derrière le service de physiothérapie. La belle affaire ! En quoi est-ce que ça le débarrasserait d'Alec ? Mystère.

— Ne compte pas sur moi, a déclaré Larry d'un ton catégorique, après avoir lu le topo.

Pour une fois, je comprenais mon frère. De mémoire d'humain, c'était le truc le plus bizarre que ce garçon bizarre ait jamais inventé.

— Clem Callaghan, tu parles d'un nom ! ai-je dit. C'est ton invention, Hal ?

— Non, je l'ai trouvé dans l'annuaire.

— Hal, si tu as relevé le nom de quelqu'un qui est dans l'annuaire, ça veut dire que cette personne existe et qu'elle pourra te faire un procès.

— Non, c'est pas un vrai nom.

— Tu viens de dire que tu l'avais trouvé dans l'annuaire. Dans l'annuaire, il n'y a que de vrais noms, Hal.

Il m'a lancé un regard courroucé.

— Tu fais ça avec un crayon. Tu pointes au hasard.

— Oui, et tu tombes forcément sur un *vrai nom*.

— Non, a rectifié Hal. Tu tombes sur un nom de famille. Ensuite tu recommences à une autre page, et tu tombes sur un prénom. Tu les mets ensemble et ça donne un nouveau nom. Un nom qui n'appartient à personne.

— Ah ! me suis-je exclamée.

— Pas mal, non ?

— Ah oui, génial ! ai-je rétorqué, sarcastique.

Hal n'a pas bronché. Il s'est tourné vers Larry.

— Larry, s'il te plaît, il *faut* que tu le fasses. *S'il te plaît.*

— Il ne faut rien du tout. Tu ne peux pas m'y obliger et c'est une idée stupide, en plus.

— Mais, Larry, tu es le seul à avoir une voix d'adulte.

Larry a esquissé un petit sourire satisfait.

— Et tu es un supercomédien, en plus, a renchéri Hal.

Ce qui était totalement faux. Le sourire de Larry s'est élargi.

— Tu veux que je te dise, Hal, a-t-il annoncé alors, d'un ton un peu fanfaron, comme un vieux sage s'adressant à un jeune sot, il y a quelque chose qui cloche dans ton plan.

Hal a ouvert de grands yeux, comme s'il était très honoré que Larry prenne la peine de lui faire cette remarque.

– Qu'est-ce qui cloche, Larry ? a-t-il demandé humblement.

– Eh bien, d'abord, comment peux-tu être sûr qu'Alec ne va pas décrocher ? S'il décroche, je ne pourrai pas laisser de message. Il faudrait que je lui parle et il me poserait sûrement des questions auxquelles je serais incapable de répondre. Et tout tomberait à l'eau.

– Je comprends que ça t'inquiète, Larry, a répondu Hal. Mais tu vois, Il éteint systématiquement son portable quand Il rentre à la maison ; ma mère ne veut pas que des gens l'appellent le soir. Quand tu Lui téléphoneras, tu tomberas sur sa messagerie. Je sais qu'Il l'interroge : Il a un business à faire tourner, tu comprends ?

– Mmm, marmonna Larry. Mais il va sûrement essayer de rappeler ce Clegg Machin, non ?

– Clem, a corrigé Hal. Justement : on va

passer l'appel depuis une cabine publique. Il y en a une sur la place du Marché, en face de la poste. Elle marche, j'ai vérifié. Donc aucune importance s'il rappelle. Personne ne répondra. Il ne pourra pas parler à Clem. On sera vendredi soir, n'oublie pas. Il sera certainement déjà parti.

– Qui ça ?

– Clem !

– Clem n'existe pas, Hal !

– Justement ! a répliqué Hal, comme s'il arrivait au bout de sa démonstration.

Je ne trouvais pas ça génial comme plan, et je voyais que Larry n'était pas impressionné non plus. Et quand bien même nous l'aurions mis à exécution, ça aurait servi à quoi ? À quoi bon envoyer Alec peindre ce bâtiment tout en longueur avec une porte verte ? Ça n'allait pas changer la face du monde ! Ni entraver en quoi que ce soit le projet de mariage d'Alec et de la mère de Hal.

Imaginez : « Quoi ? Tu as peint ce bâtiment samedi ? Celui qui est tout en longueur ? Eh bien, puisque c'est comme ça, je ne t'épouserai pas. Désolée. »

— Hal, ai-je lancé. Quel est l'intérêt ?

— L'intérêt c'est que... Si Alec va peindre ce... ce truc samedi matin, Il ne pourra pas emmener ma mère à son tournoi de golf.

— Ta mère va à un tournoi de golf ?

— Non seulement elle y va, mais elle y *joue* ! Elle attend ça depuis des semaines.

— Et tu ne veux pas qu'elle y joue ? C'est ça ?

Le golf, pour moi, c'est du hockey sur table. Je ne comprends pas qu'on puisse aimer ça. Enfin, c'est encore une lubie d'adulte. Ils ne sont vraiment pas comme nous !

— Non, pas tout à fait, a expliqué Hal. Le truc, c'est que ma mère et Alec ont rendez-vous pour ça.

— Rendez-vous ? Mais enfin, ils *vivent* ensemble, Hal. Les gens qui vivent ensemble ne se donnent pas rendez-vous !

— C'est justement le problème, a précisé Hal. Maman Lui reproche de ne jamais sortir avec elle. Et elle Lui en veut de ne pas prendre au sérieux sa passion pour le golf. Alors cette fois, Il a promis, juré de l'accompagner, et elle est toute contente ; elle s'est même acheté une tenue spéciale pour l'occasion. Seulement voilà : s'il a ce boulot payé triple... il n'ira pas avec elle et elle sera furieuse. Ils se disputeront. Et avec un peu de chance, elle le mettra à la porte...

Ses yeux brillaient à cette seule idée.

Vous devez trouver que c'est un plan boiteux. Moi aussi. Mais bizarrement, à ce moment précis, il semblait tenir plus ou moins debout. Hal peut être convaincant quand il s'enthousiasme pour quelque chose. Et là, il était à fond.

— Bon alors, ai-je résumé, mettons que Larry laisse ce message sur le répondeur d'Alec. Et après ?

— Après, Il va accepter le boulot et quand Il ira le lendemain matin tôt, nous, on le suivra. Histoire de voir si tout marche comme prévu.

— Sans moi, s'est empressé d'ajouter Larry. J'ai un avion à prendre samedi matin. Voyage scolaire à Paris.

— C'est pas grave, a estimé Hal. Olivia et moi, ça suffira. Tu peux aller à Paris, Larry, on s'occupe du reste.

Larry s'est trouvé un peu coincé, je crois. Lui qui refusait fermement depuis le début de passer cet absurde coup de téléphone, il semblait maintenant décidé à le faire. Il aurait pu résister, je pense, mais Hal l'avait plus ou moins embobiné, ou aveuglé par son intelligence, je ne sais pas.

— Moi ? ai-je glapi. Le suivre ? Oh, Hal, cette histoire ne me plaît pas du tout. Ça dépasse les bornes, c'est trop dingue pour moi.

— Mais Olivia, a objecté Hal, je… je ne sais plus quoi faire, j'en suis au point où je suis capable de tout.

— Capable de tout, ça, c'est sûr. (J'avais dit ça dans ma barbe. Je ne crois pas qu'il m'ait entendue.) Mais pourquoi Hal ? ai-je ajouté tout haut. Pourquoi est-ce tellement important ?

— Elle… ils…

— Eh ben, Hal ?

— À cause de la pension. Elle m'a dit que si je n'arrivais pas à m'entendre avec Lui, elle me mettrait en pension. Elle dit que je lui pourris la vie et qu'elle n'en peut plus.

La pension. On n'est peut-être pas si mal, après tout, en pension. On peut faire des lits en portefeuille, organiser des fêtes à minuit, mettre des coussins péteurs sur les chaises des profs et des trucs comme ça. Ça pouvait être assez marrant.

Mais je n'ai pas dit ça à Hal. Je lui ai simplement demandé :

— Et c'est vrai ? C'est vrai que tu lui pourris la vie ? Tu fais pire que de laisser les robinets couler, et des trucs comme ça ?

— Non.

— Alors pourquoi elle dit ça ? Pourquoi est-ce qu'elle veut t'envoyer en pension ?

— C'est sûrement parce que je refuse de Lui parler.

— Oh, Hal !

— Tu pourrais arrêter de dire tout le temps «Oh, Hal ! », Olivia ?

— Pardon. Mais tu veux dire que tu ne lui parles pas du tout ? Pas un seul mot ? Du genre «Demande-Lui de me passer le sucre ? »

— Oui, c'est à peu près ça.

— Et ça fait *deux ans* que tu refuses de lui adresser la parole ?

— Non ! a dit Hal. Avant, je Lui parlais. Je Lui disais « Ah, bonjour » ou bien « Bon, allez, au revoir », par exemple. Mais depuis qu'Il a emménagé chez nous… tu ne peux pas toujours dire bonjour à quelqu'un qui vit chez toi. Ce n'est plus un invité.

— Du coup, tu ne lui dis rien ?

— Pas un mot. Et comme j'estime qu'Il n'a rien à faire chez nous, je fais comme s'Il n'était pas là.

Je ne voyais rien à objecter. C'était tout à fait dans la logique de Hal.

— Et maintenant ils menacent de t'envoyer en pension ?

— À vrai dire, c'est surtout elle. Je crois que Lui, Il s'en fiche un peu. Mais elle, elle en parle depuis longtemps. Sauf qu'on approche de la fin de l'école primaire, et alors ça devient plus concret. Elle a des brochures sur des endroits où on apprend à jouer au rugby.

J'ai regardé Hal en essayant de l'imaginer en tenue de rugby. Je n'y arrivais pas. Il disparaissait tout le temps dans les manches de son maillot.

— Bon écoute, Hal, ai-je dit en soupirant. À mon avis, ton plan est complètement loufoque, mais si tu sens vraiment que tu dois te battre, alors je te suis. Mais uniquement pour veiller à ce que tu n'aies pas d'ennuis, OK ?

Qu'est-ce que je n'avais pas dit là !

7

Vint le samedi matin. J'aurais pu faire la grasse matinée, mais non ; au lieu de cela, je me suis levée tôt et suis partie à bicyclette chez Hal, *avant le petit déjeuner.* Il y avait eu un léger changement de programme. On s'était rendu compte qu'il serait impossible de suivre Alec dans sa camionnette, il fallait donc que nous partions avant lui, à bicyclette, et que nous l'attendions à l'hôpital pour voir comment ça allait se passer. Je ne voyais pas à quoi ça servait, mais Hal avait insisté.

En temps normal, je n'aurais pas pu quitter la maison à l'aube sans que mes parents s'en aperçoivent. Mais ce jour-là, c'était le branle-bas de combat chez nous, parce qu'ils devaient conduire Larry à l'aéroport et surtout lui faire toutes sortes de recommandations pour son séjour à Paris : notamment ne jamais boire d'alcool, jamais, jamais, jamais.

Larry ne boit pas. Il faut dire ce qui est : Larry n'est pas un rebelle.

Mais mes parents sont méfiants. Ils croient tout ce qu'on lit dans les journaux à propos des adolescents qui se soûlent. Larry n'est pas un adolescent comme les autres. Moi, je le serai certainement quand j'aurai son âge. Rebelle je veux dire. Je suis sûre que je porterai des fringues pas possibles, que j'aurai des piercings partout, que j'écouterai des musiques infernales. Je donnerai du fil à retordre à mes parents, je les rendrai dingues. S'ils n'ont pas eu de mal avec Larry, avec moi, ils vont avoir de sacrées surprises. J'attends ça avec impatience.

Moi aussi, j'ai une liste de recommandations, évidemment, qu'ils m'ont laissée avant de partir pour l'aéroport. Entre autres, je ne dois pas ouvrir à des inconnus, ni allumer du feu où que ce soit, ni laisser un brûleur de la cuisinière allumé, et de toute façon ils reviendront dès que Larry aura embarqué. Je leur ai fait signe sur le pas de la porte, et à peine étaient-ils partis que j'ai sauté sur ma bicyclette pour foncer chez Hal.

Mon copain Hal est vraiment maboul, me disais-je en sortant de notre jardin, puis en remontant la rue principale, en passant devant Centra Shop, en tournant le coin de la rue où il habite, en longeant les jolis jardins tranquilles avec leurs parterres de fleurs et leurs petites barrières qui vous disent «Attention! chien méchant», et, devant les portes, le paillasson où on peut lire «Bienvenue», sans parler du puits porte-bonheur au milieu de la pelouse… Toutes ces maisons aux volets baissés derrière lesquels des gens raisonnables dorment bien au chaud sous leur couette, où j'aurais dû être moi aussi. C'est vraiment un drôle de gars, ce Hal, pensais-je encore. Rosemarie et Gilda étaient finalement plus reposantes. En tout cas, elles ne m'auraient pas fait lever à l'aube pour entreprendre une aussi folle équipée à vélo jusqu'à l'autre bout de la ville. D'ailleurs, elles n'auraient jamais eu assez d'imagination pour ça.

Hal m'attendait devant chez lui, à côté de sa bicyclette. Il était tout pâle et semblait inquiet.

La fourgonnette de peintre d'Alec était stationnée dans l'allée ; une petite voiture blanche avec une échelle sur le toit et, sur le côté, une inscription :

ALEXANDER DENHAM TOUS TRAVAUX DE PEINTURE INTÉRIEUR ET EXTÉRIEUR

Elle était peinte de toutes les couleurs de l'arc-en-ciel, comme le titre d'un livre de Oui-Oui.

— Salut, Hal ! ai-je lancé.

Hal a posé son doigt sur sa bouche pour me dire de me taire et m'a fait signe de descendre de bicyclette.

— Qu'est-ce qui se passe ? lui ai-je demandé en chuchotant, mais assez fort.

— Rien, mais Il est déjà levé. On n'a pas beaucoup d'avance, alors il faut foncer. D'accord ?

J'ai fait oui de la tête.

— Bon, a dit Hal d'une voix rauque, tu vas *sans bruit* jusqu'au bout de la rue en poussant ton vélo. On pédalera à partir de là-bas.

Cette fois encore, j'ai acquiescé en silence. Je suis vraiment coopérative. Et on est partis. Je savais pourtant que c'était une erreur. Comme on était samedi matin, il n'y avait pas beaucoup de circulation, on a donc bien avancé en pédalant comme des fous. Chaque fois qu'une voiture arrivait derrière nous, Hal se retournait pour voir si ce n'était pas Alec. Mais ce n'était jamais lui.

— Si ça se trouve, il ne va pas y aller, ai-je crié à Hal, une fois arrêtés au feu rouge, en ville. Il n'a peut-être pas envie de le faire. Peut-être que finalement ta mère l'a convaincu d'aller au golf avec elle. Qui est censé te garder, d'ailleurs ?

— Je me garde tout seul, a répondu Hal.

— Arrête !

— Bien sûr que si ! Sauf la nuit. Allez, on y va, Olivia ! a-t-il hurlé tout à coup en fonçant, quand le feu est passé au vert. Suis-moi !

J'ai pédalé sans discontinuer jusqu'à l'hôpital. On s'est arrêtés devant le portail, et là je me suis couchée sur mon guidon pour essayer de reprendre mon souffle, après cette course effrénée.

L'hôpital est un immense espace entouré d'une

grille bleue, avec plein de bâtiments bas aux toits plats. Juste après le portail d'entrée, sur la gauche, un grand panneau avec des flèches de plusieurs couleurs indique l'emplacement des différents services, et sur la droite, avant ce grand panneau, se dresse une espèce de guérite en verre dans laquelle veille un vigile. Une barrière mobile rayée rouge et orange est abaissée en travers de l'entrée, si bien que l'on ne peut passer que si le gardien la lève.

Dès que j'ai pu parler, j'ai demandé à Hal :

— Tu es bien sûr qu'il a eu le message ?

Hal était assez tendu, lui aussi.

— Je crois, oui, a-t-il dit d'une voix étranglée.

Il a pris le temps de respirer avant d'ajouter :

— Il y a eu une ÉNORME engueulade, ce matin. Ma mère a jeté ses chaussures par la fenêtre.

— Pourquoi ça ?

Je me demandais si Hal n'avait pas mis des cailloux dans ses chaussures à elle aussi.

— Aucune idée. En tout cas, elle est descendue pieds nus mais avec sa nouvelle tenue et, sans même avoir pris son petit déjeuner, elle a sauté dans sa voiture pour filer à son tournoi de golf.

Il se passait des choses de plus en plus étranges dans cette maison. Qu'on commence à aménager un garage en salle de jeux pour abandonner l'idée peu de temps après, passe encore. Mais menacer un pauvre gamin un peu fragile comme Hal de six ans de rugby obligatoire, c'était trop fort. Et jeter ses chaussures par la fenêtre parce que quelqu'un ne peut pas vous accompagner à un tournoi de golf, ça valait aussi son pesant d'or. Au fond, c'était peut-être une habitude, chez eux, de balancer des trucs par la fenêtre. Et si ça se trouve, ils faisaient bien pire.

— Oh, Hal, ai-je murmuré.

— Tu vois un peu, Olivia.

Je voyais, oui. Sa famille avait quand même l'air un peu spéciale, il faut l'avouer. J'étais sincèrement désolée pour Hal, et il était seul, en plus, ce qui n'arrangeait rien. Larry n'est pas le genre de personne avec qui je rêverais de passer le reste de ma vie sur une île déserte, mais si on vivait des moments difficiles, on se serrerait les coudes, mon frère et moi. Ce pauvre Hal, lui, n'a personne. À part moi.

— Mais je vais te dire, Hal, tu ne peux pas rivaliser avec les adultes. Ils finissent toujours par gagner.

Hal a haussé les épaules. Nous attachions nos bicyclettes à une grille, bien cachés derrière une voiture en stationnement, en face de l'entrée de l'hôpital, lorsque la petite camionnette blanche d'Alec est apparue au bout de la rue. Penché sur le volant, Alec a regardé à droite et à gauche puis il a tourné dans la rue où nous étions.

Sincèrement, je dois dire à la décharge de Hal que je ne me vois pas passer tous mes petits déjeuners avec Alec jusqu'à ma majorité. Il fait un peu penser à… un furet. Et en plus, il a le visage qui brille. Je ne sais pas pourquoi, mais les visages qui brillent me donnent la chair de poule.

Pardonnez-moi, vous qui lisez ces lignes, si vous avez le visage qui brille. Vous êtes certaine- ment quelqu'un de charmant et vous avez sans aucun doute d'autres qualités. Vous ne ressemblez pas à un furet, par exemple. Le fait que j'aie une aversion pour les gens qui ont le visage luisant en dit certainement davantage sur moi que sur la personne au visage luisant ; mais quoi qu'il en soit, Alec est comme ça, on n'y peut rien.

Nous nous sommes accroupis derrière les voitures en stationnement, pour observer. J'aurais dû avoir le sentiment de vivre une grande aventure, mais je me sentais plutôt étourdie d'avoir pédalé aussi longtemps comme une dératée sans rien dans le ventre, et un peu inquiète, en plus, de ce qui allait se passer.

Alec est allé droit vers la barrière rayée. Nous l'avons vu montrer du doigt et gesticuler en regardant le vigile qui se grattait la tête d'un air perplexe. Mais finalement, la barrière s'est levée et la petite camionnette blanche est entrée. Elle s'est arrêtée devant le grand panneau puis a tourné à droite, en direction du service de physiothérapie.

— Tu sais, Hal, ai-je dit en regardant la camionnette tourner le coin du bâtiment, j'ai le pressentiment que tout ça ne mènera pas à un divorce.

— Ils ne sont pas mariés, a objecté Hal, donc ils ne peuvent pas divorcer.

– Non, mais peu importe comment on appelle ça. La réalité, Hal, c'est que les enfants ne peuvent pas amener des adultes à rompre. Ça ne marchera pas. Et tu peux être sûr d'aller en pension en septembre si tu ne te décides pas à lui parler.

Sans me répondre, Hal a traversé la rue vers l'entrée de l'hôpital et a regardé autour de lui. Je l'ai suivi mollement, tout en essayant encore de le raisonner mais il ne m'écoutait pas.

Il y avait un portillon pour les piétons. On pouvait donc entrer tranquillement sans avoir à passer sous le nez du gardien, du moment qu'on laissait les bicyclettes à l'extérieur. Mais il restait encore six heures avant l'heure des visites.

Si quelqu'un s'inquiétait de savoir pourquoi on traînait dans l'enceinte de l'hôpital, je me demandais bien ce qu'on répondrait.

– On ferait peut-être mieux d'attendre un moment ici, ai-je suggéré. Il ne lui faudra pas longtemps pour comprendre que c'est un canular, et là il rebroussera chemin pour ressortir. Alors nous pourrons rentrer, nous aussi.

— Ouais, d'accord, a répondu Hal.

Il avait l'air abattu.

Nous étions assis sur le muret de l'hôpital que nous frappions avec nos talons. C'était un mur en briques très bas, avec des buissons épineux qui poussaient derrière, mais en faisant attention on ne se piquait pas. J'avais l'estomac qui gargouillait.

— Je rêve d'un beignet, ai-je avoué au bout d'un moment.

— Arrête, a lancé Hal. Ne parle pas de manger, c'est encore pire.

Le temps s'écoulait lentement.

— Mes préférés sont ceux fourrés à la confiture. Quoique j'aime bien aussi ceux qui ont un trou au milieu, à condition qu'il y ait un glaçage dessus. Et plein de vermicelles multicolores en chocolat.

— Olivia, la ferme !

— Une demi-douzaine de beignets, ai-je suggéré au bout d'un moment. Une *montagne* de beignets. Je meurs de faim.

— Tais-toi, a répété Hal. Lui aussi avait l'estomac qui gargouillait, je l'entendais.

J'ai regardé ma montre.

— Hal, il est presque dix heures.

— Oui, je sais, l'heure du petit déjeuner est passée depuis longtemps. C'est pour ça qu'on a tellement faim.

— Non, je ne te parle pas de ça, ai-je précisé. Je veux dire que ça fait bien trois quarts d'heure qu'il est entré. Qu'est-ce qui peut bien se passer, d'après toi ?

— Niark, niark ! a-t-il répondu.

— Hal, le bâtiment que tu lui as décrit, derrière le service de physiothérapie. Celui qu'il doit peindre. C'est quoi au juste ?

— C'est le dépôt mortuaire, niark, niark !

— Quoi ?

— Le dépôt mortuaire.

— Hal, c'est comme une morgue, c'est ça ?

— Ouais ! On peut dire ça. C'est juste un peu plus petit.

— Hal, tu n'as pas fait ça, quand même !

— Niark, niark ! a-t-il répété. (Le ricanement du vampire dans un film d'horreur.)

— Pourquoi diable l'avoir envoyé directement à la morgue, Hal ?

— En fait, j'ai cherché quel pouvait être l'endroit le plus lugubre. Et ça m'a semblé une bonne idée.

— Lugubre ! ai-je ricané. Tu veux que je te dise, Hal, tu es vraiment dérangé. J'ai toujours su que tu étais bizarre, mais là, c'est carrément *gothique* ton truc !

— Ouais, a-t-il confirmé avec un sourire. Toi et moi, on est gothiques. Comme les cathédrales ? Pas vrai, Olivia ?

Subitement, je n'avais plus du tout envie d'être gothique. J'étais du côté de Hal, mais là où je me trouvais, assise devant un hôpital à côté d'un dingue, avec l'estomac qui criait famine, *roman* me plaisait mieux finalement. En plus, mes parents ne tarderaient pas à rentrer de l'aéroport et j'allais avoir les pires ennuis s'ils voyaient la maison vide.

J'ai serré les dents et je n'ai plus rien dit pendant ce qui m'a semblé au moins dix minutes. J'ai regardé ma montre. Deux minutes s'étaient écoulées. Il était très exactement dix heures. Nous n'avions toujours pas vu Alec revenir l'air furibond, ou perplexe, ou je ne sais quoi qui aurait réjoui Hal.

— Si ça se trouve, il s'est perdu, ai-je avancé, une ou deux minutes plus tard.

— Qu'est-ce que tu en penses ? m'a demandé Hal. On s'en va et on s'achète un truc à manger ou on attend encore un peu ?

Je me demandais ce que nous faisions là, de toute façon, et l'idée de manger me tentait bien, mais en même temps je trouvais qu'on n'avait pas le droit de s'en aller comme ça en abandonnant ce pauvre Alec là-dedans – avec les *corps*. Même si ce type donnait envie aux gens de jeter leurs chaussures par la fenêtre. (D'ailleurs, je suis sûre qu'en fait elle voulait les lui jeter à la figure. Quel drôle de couple !)

— On devrait peut-être entrer et voir comment ça se passe pour lui ? ai-je suggéré. Qu'est-ce que tu en penses, Hal ? C'est nous qui l'avons mis dans cette situation, quand même. Nous sommes un peu… *responsables*, tu vois ? Si ça se trouve, il a des ennuis : il essaie peut-être de convaincre les gens qu'il y a un certain Clem

Clapham dans le service. Et les autres doivent le prendre pour un fou échappé de l'asile ou un espion ou… je ne sais pas, moi !

— Un espion ! a ricané Hal. Explique-moi pourquoi un espion irait fouiner autour du dépôt mortuaire, déguisé en peintre. En plus, c'est pas Clapham mais Callaghan.

— D'accord, mais de toute façon personne n'a à traîner autour du dépôt mortuaire d'un hôpital, tu ne crois pas ?

— Donc, tu préfères attendre un peu ? m'a demandé Hal.

Il semblait un peu inquiet, lui aussi, même s'il ne l'admettait pas.

— Attendons encore un quart d'heure, OK ?

— OK, a dit Hal. Et ensuite ?

Je n'osais pas imaginer ce que nous ferions si Alec ne réapparaissait pas bientôt, alors j'ai fait comme si je n'avais pas entendu la question.

8

Cinq longues minutes passèrent.

– Je meurs de faim, a fait remarquer Hal.

– Moi pareil, ai-je marmonné.

J'ai pensé : « Il faut qu'il se dépêche de sortir. Qu'est-ce qu'on peut faire, nous ici ? Il a dû se rendre compte qu'il n'y avait pas de peinture, pas de Clem Callaghan, pas de travaux à faire, pas d'heures payées triple, et que s'il était allé au tournoi de golf avec sa femme – qui n'est pas sa femme –, il n'aurait pas eu tous ces ennuis. »

– Olivia, a dit Hal au bout d'un moment, j'ai l'impression qu'il ne va pas ressortir.

– Mais si, il va bien finir par sortir. On a dit qu'on lui donnait un quart d'heure.

— OK, a soupiré Hal en recommençant à marteler le mur de ses talons.

J'ai regardé ma montre pour la énième fois. Dix heures huit.

La faim commençait à me donner des hallucinations. Je voyais des monceaux de purée, des pétrins pleins de porridge et une énorme maison en pain d'épices qui n'attendait que d'être croquée, mâchée et avalée.

Le temps s'écoulait avec une lenteur atroce.

— Ça fait un quart d'heure, Hal, lui ai-je enfin annoncé en regardant la grande aiguille s'approcher du petit trait du douze. Quand la grande aiguille touchera le trait du douze, ça fera un quart d'heure qu'on a dit qu'on lui laissait un quart d'heure. Et quand on s'est dit ça, il était déjà passé depuis un quart d'heure, donc ça fait une demi-heure qu'il est là-bas avec ces cadavres, Hal.

— Tais-toi ! s'est-il écrié.

— Eh, dis donc, c'était ton idée, la morgue. D'ailleurs tout ce truc était ton idée, Hal King. Je souffre de privation de sommeil et je suis au bord de l'inanition. Tu ne voudrais pas, en plus, que je mâche mes mots !

— Pas le mot « mâcher », a supplié Hal.

— Mâcher, ai-je répété, méchamment. Hamburger. Bolognaise. Tartelette.

— Je n'arrive plus à réfléchir quand tu parles de bouffe.

— Et moi, je ne peux pas réfléchir le ventre vide. Si on ne mange pas bientôt, il y aura deux nouveaux candidats pour la morgue.

— Olivia, c'est pas gentil, a murmuré Hal d'un ton de reproche.

— Au fait, ai-je proposé, on ne pourrait pas interroger le vigile, tout simplement ? Et ensuite, on décidera de ce qu'on fait.

La situation était vraiment cocasse, croyez-moi. Hal voulait se débarrasser d'Alec, et maintenant que celui-ci avait enfin disparu, nous mettions toute notre énergie à essayer de le retrouver. Cherchez l'erreur.

Toujours est-il que j'ai avancé jusqu'à la guérite en verre et que j'ai frappé.

Le vigile a levé les yeux de son journal, l'*Irish*

Independent, et ouvert la fenêtre coulissante, sur le côté de la guérite.

— Oui ?

— Vous n'avez pas vu un homme entrer en voiture, il y a une demi-heure environ ? lui ai-je demandé.

— Écoute, ma jolie, dit le vigile en relevant sa casquette sur son front, il y en a eu des wagons entiers de gars qui sont passés par ici dans la dernière demi-heure. Tu penserais pas à quelqu'un en particulier ?

— Celui qui avait la fourgonnette blanche avec l'échelle sur le toit.

— Le peintre ? a ri le vigile. Celui qui cherchait la morgue ? Il est bien le seul à savoir qu'il y a une morgue, ici.

— Oui, c'est bien lui, ai-je confirmé.

— Ah oui, a fait le vigile. Oui, tout à fait.

— Alors ? ai-je continué.

— Alors quoi ?

— Où est-il, maintenant ? Je veux dire : est-ce que vous auriez une idée ?

— Je vous demande cardon ? a dit le vigile.

Cardon ? Qu'est-ce qu'il raconte ?

— Le peintre, ai-je articulé. Où est-il passé ?

— Comment veux-tu que je le fâche ?

J'ai regardé Hal. Qui a haussé les épaules.

— C'est ton père ou quoi ? a voulu savoir le vigile.

— C'est *son* père à lui, ai-je précisé en montrant Hal du doigt.

Hal a ouvert grand la bouche en forme de O, comme un poisson rouge. S'il te plaît, Hal, lui ai-je lancé silencieusement, en mimant les mots. S'il te plaît, ne dis pas que ce n'est pas ton père, ni même ton beau-père, que c'est juste un individu louche que ta mère a la gentillesse d'héberger. Surtout ne dis pas ça ! Je ne sais pas si la transmission de pensée marche, mais Hal a refermé la bouche et s'est tu.

— Et je parie que samedi, c'est le jour de l'argent de poche, pas vrai ? a poursuivi le vigile sur le ton de la plaisanterie. Désolé, mais je ne vois pas comment vous aider. Je l'ai vu entrer, oui, et il m'a raconté toute une histoire, croyez-moi. Mais vous dire ce qu'il est devenu une fois entré, alors là, mystère. Je ne peux pas le voir d'ici, je n'ai pas de télescope, vous comprenez. Il a ri sous cape de sa propre blague et a refermé la fenêtre coulissante.

Nous sommes restés plantés là un moment. Moi, à me demander ce qu'il fallait faire et Hal, à se moucher. C'est alors que la petite fenêtre s'est rouverte.

– Vous comptez traîner ici toute la matinée ? nous a demandé le vigile.

– On se demandait... si jamais il n'a pas réussi à trouver l'homme qu'il cherchait, qu'est-ce qui a pu lui arriver ? ai-je risqué.

– Lui arriver ? Il ne peut rien lui arriver, voyons. Il ressortira, c'est tout. Ici, on n'a personne pour vérifier ce qui arrive aux gens qui entrent en voiture, vous savez. On a assez de mal à s'assurer que les *patients* sont bien pris en charge.

Il ponctua cette dernière remarque d'un petit rire.

– Donc, il est toujours à l'intérieur ? ai-je insisté.

— Alors là… a répondu le vigile en remontant encore un peu plus sa casquette sur le front (à tel point qu'elle menaçait de tomber en arrière). Je ne sais pas quoi répondre à ça. C'est possible. Mais encore une fois…

Hal se crispa.

— Et si on allait le chercher… ? osa-t-il demander.

— On est dans un pays libre, a répliqué le vigile. Et c'est un hôpital public, ici. Tant que tu ne vas pas piétiner les parterres de fleurs ou circuler dans les salles pour répandre des microbes et déranger les gens, tu es le bienvenu. Vas-y, entre, jette un coup d'œil. Tu ne m'as pas l'air bien dangereux. Et en plus, si tu as perdu ton pè…

Hal avala de travers.

La petite fenêtre de verre glissa de nouveau et le vigile replongea le nez dans son journal.

— On y va, ai-je lancé à Hal.

— Non, on n'y va pas, a répondu Hal, hésitant.

— Hal, s'il lui est arrivé quelque chose, ce sera notre faute.

— C'est pas vrai, siffla-t-il, furieux. C'est un adulte. On l'appelle tout le temps pour des boulots. Il est assez grand pour faire attention à Lui. S'Il n'en est pas capable, on n'y est pour rien.

N'importe qui aurait trouvé des failles dans ce raisonnement, mais à quoi bon ? Je n'ai même pas essayé. Ce que je voulais, c'était prendre enfin mon petit déjeuner, et le meilleur moyen d'y arriver était de résoudre ce mystère.

— Écoute, Hal, on essaie de savoir ce qui se passe. Ensuite on ressort et on va manger.

— D'accord, a-t-il grommelé.

Nous sommes allés jusqu'au portillon pour les piétons et avons suivi les panneaux qui indiquaient le service de physiothérapie. Là, nous nous sommes trouvés devant un petit panneau indicateur en forme d'index, sur lequel était écrit *Morgue* dans des caractères à vous faire froid dans le dos.

— Par là, ai-je commenté.

Nous avons suivi la direction indiquée.

Effectivement, nous sommes arrivés devant le bâtiment tout en longueur avec une porte verte.

— Tu es déjà venu ici, Hal, ai-je lancé.

Je venais d'être frappée par cette évidence. C'était sûr, autrement il n'aurait pas pu donner des instructions aussi détaillées dans le message téléphonique. Hal a acquiescé sans rien dire.

Une rampe d'accès en béton que longeait un garde-fou en métal conduisait vers la porte verte.

Je suis montée jusqu'en haut de la rampe et j'ai essayé d'ouvrir la porte. La poignée s'est abaissée mais la porte ne s'est pas ouverte. J'ai poussé dessus, rien à faire. J'ai insisté. En vain.

— C'est fermé à clef, ai-je conclu, soulagée. Franchement, je ne mourais pas d'envie d'entrer là-dedans.

— Et maintenant ? a dit Hal en regardant autour de lui.

Il n'y avait pas grand-chose à voir, à part d'autres bâtiments, des tuyaux d'écoulement et des poubelles rassemblées dans un coin.

— Il faut qu'on essaie de regarder à travers les fenêtres, ai-je annoncé.

— Non ! s'est écrié Hal. J'ai pas envie de voir des cadavres, moi !

Il avait raison. Et de toute manière, les fenê-tres étaient trop hautes. Il aurait fallu une échelle pour regarder au travers. Ça m'a rappelé quelque chose.

— Alors dans ce cas, ai-je conclu, il faut trou-ver la fourgonnette.

Nous avons regardé partout alentour. Il y avait des tas d'endroits où l'on aurait pu facile-ment garer une camionnette, mais celle que nous cherchions demeurait introuvable. Nous avons fouillé dans tous les coins, pas de petite camion-nette blanche. C'était de plus en plus mystérieux. Nous avons inspecté toutes les allées, fait le tour de tous les bâtiments, regardé aussi sur le parking des visiteurs, le parking du personnel et celui des médecins. Pas de camionnette blanche. Nous avons cherché enfin le long d'une allée de déga-gement bordée d'ifs qui permettait de quitter les parkings. Quelques voitures y étaient alignées, alors que les parkings eux-mêmes étaient presque vides. Mais toujours pas de fourgonnette blanche.

— C'est pas la peine de rester là, a commenté Hal.

— Je crois que tu as raison. Allons manger quelque chose.

Pourtant, je n'étais pas tout à fait convaincue qu'il fallait partir. Tant que nous étions dans l'enceinte du centre hospitalier, nous avions une chance d'apercevoir la fourgonnette, ou Alec, mais une fois en ville, le monde était bien trop grand ; on n'était plus sûrs de rien. D'un autre côté, je savais que si je ne mangeais pas quelque chose, j'allais m'évanouir. J'avais déjà les genoux qui flageolaient.

Nous avons franchi le portillon des piétons dans l'autre sens et détaché nos bicyclettes. Le vigile a levé le nez de son journal pour nous regarder faire. Il nous a adressé un petit signe amical.

Nous avons fait de même.

9

Nous avons rencontré l'agent de police en retournant vers le centre-ville. Il était à bicyclette, lui aussi, et venait vers nous. C'était un de ces policiers très sympas en short, avec un casque de cycliste et un gilet jaune fluo. En nous voyant, il a levé la main. Parce que nous étions à vélo, sans doute ; il pensait peut-être que nous étions membres d'une sorte d'Association des amis du vélo qui a pour slogan : « Les cyclistes sont sympas. »

Je ne sais pas ce qui m'a pris — c'était peut-être à cause de son petit salut amical —, mais je lui ai répondu par un grand signe désespéré en criant : « *Guard** ! »

* *Guard*, ou *garda* pour une femme, désigne les agents de police en Irlande.

Il a freiné, avec un dérapage contrôlé, et s'est arrêté un peu plus loin. Je suis descendue de ma bicyclette et je l'ai rejoint. Hal a mis pied à terre et s'est retourné pour regarder ce que je faisais.

— Qu'est-ce que je peux faire pour vous, jeune fille ? m'a demandé le guard.

— Eh bien… c'est-à-dire que… euh… on a perdu quelqu'un.

J'ai entendu Hal émettre un petit cri étranglé mais j'ai continué.

— Nous l'avons vu entrer dans la cour de l'hôpital, mais il n'en est pas ressorti.

— Ah, ce sont des choses qui arrivent, a répondu le guard avec un sourire. Mais il n'est peut-être pas perdu. Il était malade ? Il allait rendre visite à quelqu'un ? Ou il est médecin, peut-être ?

— Non, il est peintre, ai-je dit.

— Peintre. Bien, bien, a commenté le guard avec un petit sourire. Et il allait peindre l'hôpital ?

— Exactement, ai-je confirmé. En tout cas, c'est ce qu'il croyait, seulement, personne ne l'attendait, vous voyez ?

— Ah oui ? a fait l'agent. Mmm… Vous pouvez m'en dire un peu plus ?

— Non, c'est tout, ai-je dit. Mais je me demandais à partir de quand quelqu'un est « porté disparu » ?

— Eh bien, ça dépend. Depuis combien de temps n'avez-vous pas revu cette personne ?

— Depuis trois quarts d'heure.

— C'est très long, en effet, a rétorqué le guard, manifestement content de sa remarque ironique.

— Ça ne paraît peut-être pas long, mais c'est quand même très mystérieux, ai-je fait observer.

— En effet, m'a accordé l'agent. Je vois.

Mais il ne voyait rien du tout.

— Et qui est ce disparu ?

— Son beau-père, ai-je dit en montrant Hal.

Le guard a brusquement repris son sérieux. Apparemment, perdre n'importe qui, c'est plutôt rigolo, mais perdre un parent, c'est une autre histoire.

— Et vous avez essayé de l'appeler ? J'imagine qu'il a un portable ?

– Euh, non. Enfin je veux dire oui, il en a un, mais non, on ne lui a pas téléphoné.

C'était impossible de l'appeler, me suis-je dit en moi-même. Nous n'étions pas censés être au courant de sa visite à l'hôpital. Normalement, nous aurions dû être tranquillement chez nous en train de prendre le petit déjeuner et, de toute façon, Hal ne lui parlait pas, alors lui téléphoner, vous pensez ! Seulement, je ne pouvais pas raconter ça à l'agent de police. C'était bien trop compliqué.

– Je crois que ce serait la première chose à faire, a affirmé le guard. Essayer sur le téléphone portable.

Puis il a regardé Hal d'un air interrogateur et lui a lancé :

– C'est toi le… ?

Hal l'a regardé fixement. Il avait un peu peur, ça se voyait.

– Oh, mais tu as drôlement grandi, dis donc, a fait le guard.

Hal a continué à le regarder avec des yeux ronds. Il commençait à trembler, alors qu'il ne faisait pas très froid. Il y avait juste un peu de vent.

— Remarque, ça fait un paquet d'années, alors, c'est normal que tu aies grandi, bien sûr !

Il était aussi clair que Hal dans ses mauvais jours.

— C'est bien toi, non ? a répété l'agent de police.

— Il est tout à fait lui-même, suis-je intervenue, puisque Hal ne faisait aucun effort pour répondre à ces questions pour le moins bizarres.

— C'est toi le petit garçon dont le pè… Hal, il s'appelait Hal. Tu t'appelles bien Hal ?

Hal a acquiescé. Le guard a souri, visiblement satisfait d'avoir trouvé. Trouvé quoi, je ne sais pas, mais trouvé.

— Ton beau-père, donc ? a-t-il repris. Bien, bien, tant mieux.

Hal ne disait toujours rien.

— Ça alors, le monde est petit ! a continué l'agent de police.

N'importe quoi ! Le monde est grand au contraire. C'est Balnamara qui est petit.

— Alors, dites-moi, a repris le policier. Ça va aller, là, pour rentrer chez vous ? Je veux dire… Vous voulez que…

Je l'ai interrompu :

— Oh ! super, pas de problème. C'est juste qu'on était un peu perplexes, vous comprenez. Mais il est certainement retourné chez lui, maintenant. Ça va aller. On va le trouver. Vous avez raison, il n'a sûrement pas disparu.

— Et vous deux, vous n'êtes pas perdus, j'espère ? Vous savez comment rentrer chez vous ?

— Oh ! oui, on a un peu plus d'un kilomètre à faire et on est à bicyclette, ai-je répondu d'un ton enjoué.

— Mais je peux… Je peux vous faire escorter par une garda, si vous avez besoin de…

Oh ! mon Dieu ! me suis-je dit. Il nous prend pour des gamins sans défense. Et maintenant il se sent responsable de nous, parce qu'on lui a dit qu'on avait perdu notre adulte.

— Non, ai-je répondu fermement. Ça ira très bien, guard, merci. Nous savons comment rentrer chez nous.

— Vous en êtes vraiment sûrs ? a-t-il demandé, l'air dubitatif.

Je me demande quel âge il nous donnait. Sept ans, je dirais.

— Sûrs et certains, ai-je confirmé avec un sourire aussi large que possible.

Je sais jouer les gentilles petites filles, s'il le faut.

— Bien, a dit le guard en enfourchant sa bicyclette. Si vous en êtes absolument sûrs… Maintenant, écoutez-moi bien : si ce monsieur n'est pas réapparu, disons, ce soir, revenez nous voir. Appelez au commissariat. Ou demandez à votre maman de le faire, OK ? Tout va certainement rentrer dans l'ordre, mais on ne sait jamais, hein ? On n'est jamais trop prudent.

J'ai acquiescé.

— Oui, comptez sur nous. On vous préviendra s'il ne rentre pas.

— Bon, a dit l'agent de police.

— Bon, ai-je répété.

— Rentrez bien, alors ! a-t-il lancé avant de partir.

À peine avait-il disparu que Hal a hurlé :

— Mais ça va pas, la tête ? En parler à la police ! Tu es folle ou quoi ?

J'ai trouvé sa réaction disproportionnée. Je n'avais révélé qu'une toute petite information.

— D'abord, ce n'était pas « la police », mais juste « un » guard.

— C'est pareil.

— Hal, il a disparu, quand même. Il était là et maintenant il n'y est plus et...

— Mais il n'est pas « porté disparu » ! Il est simplement... On ne sait pas où il est, c'est tout. Il a peut-être rencontré quelqu'un qu'il connaissait. Ou alors il est tombé sur la cafétéria et il s'est dit qu'il allait prendre un petit déjeuner avant de commencer. Tout est possible.

— Exactement, ai-je renchéri. Tout. Et je ne sais pas comment ça se passe chez toi, mais chez nous, quand on a des ennuis, on s'adresse à un agent de police.

— On n'a pas d'ennuis, Olivia. Enfin, pas ce qu'on appelle généralement des ennuis.

Je n'en étais pas si sûre.

À ce moment-là, une voiture de police est passée en trombe à côté de nous, avec son gyrophare bleu et sa sirène qui hurlait pin-pon, pin-pon !

Hal est devenu plus pâle que pâle. Je me suis dit que s'il pâlissait encore, je verrais à travers sa peau, je verrais ses os, ses veines et tous les trucs où circule le sang. Il a une telle phobie de la police qu'on pourrait facilement le prendre pour un criminel.

La voiture hurlante s'est arrêtée net devant la grille de l'hôpital et notre ami, dans sa cage de verre, n'a pas demandé d'explication : il a aussitôt levé la barrière orange et rouge. La voiture a redémarré sur les chapeaux de roue et a disparu dans l'enceinte de l'hôpital en crachant au passage une pluie de graviers.

– Oh ! là, là ! me suis-je exclamée. Qu'est-ce qui se passe, à ton avis ?

– Ils… Oh ! la vache, Olivia ! a lancé Hal. Ils doivent être en train de… de l'arrêter. Ce serait… Ce serait trop cool, Olivia. S'il allait en prison, ça résoudrait tout. Ma mère ne voudrait jamais se marier avec un criminel, tu comprends ? Et il pourrait rester en prison pendant des années et des années. Moi, je ne serais pas obligé d'aller en pension et on resterait tous les deux, elle et moi, comme avant.

Naturellement, Hal délirait, il se laissait emporter, ça ne résoudrait rien du tout.

— Pourquoi veux-tu qu'ils l'arrêtent, Hal ? Il n'a pas commis de crime.

— Je ne sais pas. Usurpation d'identité ou quelque chose comme ça.

— Mais il n'usurpe l'identité de personne, enfin ! C'est Larry, l'usurpateur, et de toute manière, on ne peut pas usurper l'identité de Clem Clanger puisqu'il n'existe pas.

— Callaghan, Olivia. Callaghan.

— Peu importe son nom, puisqu'il n'existe pas. On ne peut pas usurper l'identité d'une personne inventée de toutes pièces, voyons.

— Bon, eh bien, ils ont certainement une autre raison de l'arrêter. Par exemple, le fait qu'il ait tenté de pénétrer dans la morgue sous un faux prétexte.

— Mais, ça, c'est pas un crime, si ?

N'empêche que la situation était quand même peu brillante. D'abord un drôle de type au visage luisant, avec une fourgonnette couverte de lettres en couleurs, arrive à l'hôpital local et demande la morgue sans explication plausible. Ensuite un guard à bicyclette accuse Hal d'être lui-même mais en plus grand, et maintenant cette voiture de police, toutes sirènes dehors, qui pénètre en trombe dans l'hôpital. Il faut avouer que tout ça était un peu troublant.

— Comment tu le sais, si c'est un crime ou pas ? a fait remarquer Hal. C'est possible.

— À mon avis, le guard avait raison. On devrait essayer d'appeler Alec. Si ça se trouve, il y a une explication toute simple et pas grave du tout.

— Mais… je ne l'appelle jamais.

— Ça fait rien, on raccrochera s'il répond.

— Et ça nous avancera à quoi ?

— Eh bien, au moins on saura s'il est vivant. Et pas en garde à vue. Parce que quand on t'arrête, tu n'as sûrement plus le droit de répondre au télé-phone. Moi, je pense que ça vaut le coup d'essayer.

Le téléphone a sonné cinq fois. Puis la messagerie s'est déclenchée.

Aïe! Mes dernières paroles résonnaient encore : quand on t'arrête, tu n'as sûrement plus le droit de répondre au téléphone.

— Si ça se trouve, il n'a pas eu le temps de décrocher, tu vois, ai-je avancé. On réessaie.

Cette fois, nous sommes tombés tout de suite sur sa boîte vocale. Nous n'avons pas laissé de message.

10

Toujours à bicyclette, nous sommes retournés dans le centre, jusqu'à la « Muffinerie », une des boulangeries de Balnamara.

— J'espère que tu as de l'argent, Hal, ai-je dit tandis que nous descendions de vélo pour les attacher. Moi, je n'ai presque rien, mais si je ne mange pas quelque chose tout de suite je vais tomber raide morte ici, et tu seras obligé de hisser mon corps en travers de ton guidon, de le ramener chez moi et d'expliquer à mes parents comment tu m'as laissé mourir de faim.

— Ne dis pas n'importe quoi, a fait Hal. Il comptait ses pièces. J'ai assez pour deux petits bagels* et deux muffins au chocolat. Je ne crois pas qu'ils aient de beignets, ici. Ça ira ? Je vais prendre un jus d'orange, aussi.

– C'est un vrai festin, tu veux dire !

Et sincèrement, je me serais même contentée d'un morceau de pain sec.

Nous sommes allés nous asseoir sur un banc de la place du Marché pour faire notre petit pique-nique. Ce n'est plus la place du Marché, d'ailleurs, mais une sorte de petit square. Au milieu, il y a une statue élevée à la mémoire d'un poète disparu, entourée de bancs et de parterres de fleurs, avec des impatientes aux couleurs insensées.

Je n'avais jamais autant apprécié un bagel. Ça m'était bien égal de le manger sans beurre ni confiture.

– Passe-moi ton portable, Hal, lui ai-je demandé. Il faut que j'appelle chez moi. Ils doivent être rentrés de l'aéroport, à l'heure qu'il est, et ils vont se demander où j'ai bien pu aller.

---

* Petit pain en forme d'anneau.

Je vais leur dire qu'on a un devoir à faire pour l'école. C'est un peu vaseux comme prétexte, mais il faut bien dire quelque chose. Je me ferai tuer de toute façon mais je me ferai encore plus tuer si je n'ai pas téléphoné.

— Tu peux pas avoir un portable à toi, non ? a grommelé Hal pour la forme, en me tendant son téléphone.

— Mes parents sont contre les portables pour les enfants, lui ai-je répété pour la énième fois. Ils m'ont déjà expliqué pourquoi, mais j'ai oublié.

— Par contre, si tu te sers du mien, ça ne pose pas de problème ? a-t-il demandé d'un ton grinçant. C'est pas logique.

Il était à cran depuis qu'Alec avait été arrêté. Enfin, peut-être arrêté. Il devait se dire que sa mère allait être dans tous ses états. Remarquez, il y a de quoi être dans tous ses états, quand on a un fils qui s'arrange pour envoyer son « mari » au violon un samedi matin. Même si ça n'a pas été planifié comme ça.

— C'est pour le principe, ai-je expliqué à Hal,

pas pour les ondes. C'est comme quand on t'interdit de trop regarder la télé. Ne t'inquiète pas, je te rachèterai du crédit après.

Je ne l'ai jamais fait parce que j'ai oublié, mais maintenant que ça me revient, il peut toujours courir. C'est lui qui nous avait mis dans ce pétrin ; le moins qu'il pouvait faire était de payer les frais d'un coup de téléphone pour dire à mes parents que nous n'avions pas été kidnappés.

– Tu ne veux pas appeler ta mère, pendant qu'on y est ? lui ai-je demandé ensuite.

Je venais d'avoir une conversation très tendue avec la mienne.

– Non, a-t-il affirmé, plein d'assurance.

– Hal, il faut lui dire que tu vas bien.

– Non. Et de toute façon, elle n'est pas là.

– Elle a un téléphone portable, ai-je objecté.

– Mais elle ne sait même pas que je suis parti de la maison. Et en plus, elle ne me téléphone pas à chaque fois qu'elle s'absente. Alors, je ne vois pas pourquoi je le ferais.

– Moi, je vois pourquoi. Elle pourrait avoir essayé de te joindre à la maison toute la matinée et se demander pourquoi tu n'y es pas. Si tu ne l'appelles pas, moi je le fais. Pour lui dire que tu es avec moi.

— Si elle veut me parler, a rétorqué Hal, ce qui n'est certainement pas le cas, elle m'appellera sur mon portable.

— Il n'empêche qu'il faut que tu te couvres, ai-je répliqué, tout en composant le numéro fixe de Hal. Tu ne peux pas sortir de chez toi, comme ça, sans laisser un mot pour dire où tu es.

— Oh, bonjour, madame De… Je veux dire, madame Ki… Enfin, je veux dire, Trudy, ai-je roucoulé. (J'ai vraiment roucoulé : je voulais faire de mon mieux pour avoir l'air enjoué.) C'est Olivia. Je voulais juste vous prévenir que Hal est avec moi ; on travaille sur un exposé, vous savez, « Explorez votre quartier ». C'est pour… pour le cours d'histoire-géo. On a des espèces de fiches de travail et il faut trouver les monuments, les forts, etc., donc… Euh, je crois qu'il a oublié de vous dire qu'il serait… Là, il est parti aux toilettes et j'en ai profité pour vous appeler. Actuellement, nous sommes à côté de la statue du petit square. On vient de la cocher sur notre fiche. Ah, j'entends le bip de fin. Au revoir !

— Qu'est-ce qu'elle a dit ? a voulu savoir Hal une fois que j'ai eu raccroché.

— Elle n'a pas répondu. J'ai laissé un message.

— Il fait beau aujourd'hui. On pourrait aller à la plage et sortir le cerf-volant, quand on aura fini les muffins.

— Hal, il n'en est pas question ! Il faut qu'on sauve ton beau-père, voyons.

— C'est pas mon beau-père ! a répliqué Hal. Et on ne peut pas le sauver. Nous ne sommes que des gosses. D'ailleurs, Il n'a probablement pas besoin d'être sauvé.

— S'il a été arrêté, il faut l'aider. Enfin, Hal, tu te rends compte, imagine qu'Alec ait été arrêté à cause de nous...

— On n'y est pour rien, a répondu Hal. Ce n'est pas nous qui l'avons arrêté. (Sa voix était plus aiguë que d'habitude et plus perçante. Je me suis dit qu'il devait être vraiment paniqué.) S'Il s'est fait arrêter, c'est entièrement sa faute, à ce crétin. *S'Il* s'est fait arrêter. Mais ça m'étonnerait.

— Quand même... cette voiture de police...
C'est bizarre, Hal, non ? Tu ne crois pas qu'on
devrait essayer de savoir ce qui se passe ?

— Mais comment ?

— En allant au commissariat. Comme ça, on
sera fixés.

— Quoi ? !

— Tu as bien entendu, Hal. Il faut qu'on aille
voir si oui ou non il a été interpellé.

— Mais... on ne peut pas se pointer tranquillement au commissariat pour demander s'ils l'ont
mis en garde à vue, quand même ! a argumenté
Hal. Sinon, ils voudront savoir ce que nous savons,
et alors... Et puis de toute façon je ne veux pas
revoir ce guard, celui qui croit me connaître.

— On n'a pas le choix, Hal.

— Si. On peut très bien l'oublier et aller faire
du cerf-volant.

Ce n'étaient que des mots, je le savais. Je
voyais bien qu'il commençait à être sérieusement
inquiet. Deux petites taches roses coloraient ses
pommettes, comme si quelqu'un l'avait embrassé
sur les deux joues. Hal lui-même n'avait pas ima-

giné que son plan l'entraînerait aussi loin. Il voulait provoquer une dispute entre sa mère et Alec, rien de plus. Il n'avait évidemment pas prévu de faire arrêter quelqu'un. Quant à sa proposition d'aller faire du cerf-volant, c'était du bluff.

— Hal ! Si tu étais un imbécile, tu serais plutôt du genre « légèrement abruti » ou « complètement crétin » ?

Je crois qu'il a compris le message. Encore qu'avec Hal on ne peut jamais être sûr. Il s'est brutalement rassis sur le banc et a mordu rageusement dans son muffin.

— On pourrait très bien être en train de préparer un exposé pour l'école, ai-je continué, et là, on le rencontrerait par hasard dans le commissariat.

— On ne peut pas entrer dans une cellule par hasard. Il doit y avoir des verrous sur les portes.

— Très drôle, ai-je dit avec un petit rire nerveux.

Hal a souri. Pour la première fois depuis le matin. J'étais soulagée. Ça allait déjà mieux. Pas parfaitement, mais un peu mieux.

— Allez, Hal, ai-je dit ensuite en faisant un nœud au sac de la boulangerie pour le mettre à la poubelle. En route ! Il faut qu'on aille tirer les vers du nez de ce guard.

— Beurk ! Mais qu'est-ce que tu racontes ?

— Oh, Hal, c'est juste une expression. On a un guard à aller questionner.

— Si ça se trouve, ce sera une garda, a-t-il objecté.

Évidemment, il avait raison, mais vraiment, il y a des fois où je le claquerais bien. Il fait des remarques sans aucun intérêt. Justes, mais sans intérêt.

— C'est possible, ai-je reconnu en soupirant.

Et effectivement, il s'agissait d'une femme.

11

Quand nous sommes arrivés au commissariat, c'est moi qui suis entrée. Hal est resté dehors, soi-disant « pour surveiller les alentours ».

C'était sinistre à l'intérieur. Tout était gris, il n'y avait rien sur les murs et des papiers froissés jonchaient le carrelage usé. L'endroit était apparemment désert, mais comme il y avait une petite sonnette sur le comptoir, j'ai appuyé dessus. Ça a produit un gros bourdonnement, un bruit à réveiller un mort, qui n'a pourtant pas eu le moindre effet.

J'ai attendu un temps infini, et au moment où je me demandais s'il fallait sonner une seconde fois, au risque de les agacer, une jeune policière est entrée et m'a demandé en quoi elle pouvait m'aider.

Comme elle souriait aimablement, plutôt que d'inventer un prétexte ou de lui servir mon histoire d'exposé, je lui ai carrément demandé si elle savait où était le beau-père de Hal. Elle m'a regardée bizarrement, comme si elle trouvait que je n'étais pas du genre à connaître quelqu'un qui a été arrêté (ce qui est vrai). Pourtant elle est allée chercher une liasse de papiers.

— Je n'ai rien à ce nom, a-t-elle annoncé avec un froncement de nez perplexe.

Quel soulagement !

— Autrement dit, on ne vous l'a pas amené ici ?

— Non. En tout cas, il n'a pas été interpellé ce matin, sinon il serait sur notre liste. Ce genre d'information nous est transmis immédiatement, vous savez.

— Ah oui ? ai-je dit d'une petite voix.

— Tout à fait. Nous sommes équipés d'une technologie dernier cri.

— Oh ! Eh bien, merci, madame.

C'était une bonne nouvelle. Ça n'expliquait pas ce qui s'était passé, mais au moins nous n'avions pas fait arrêter quelqu'un pour rien. Je me suis ruée dehors. Hal m'attendait, assis sur un muret, devant le commissariat.

— Il n'est pas là ! lui ai-je lancé.

— Il n'est pas encore arrivé, tu veux dire ?

— Non, il n'a pas été arrêté.

— Ah ! tant mieux. (Hal est descendu du muret en frottant soigneusement ses mains l'une contre l'autre pour les débarrasser de la poussière.) Comme ça, on est fixés.

— Merci d'avoir été demander, Olivia, ai-je dit. Tu es une amie formidable et je te dois une fière chandelle.

— À qui tu parles ? s'est étonné Hal.

— À moi-même.

— T'es cinglée, ou quoi ?

J'ai soupiré :

— Ça doit être ça, oui. Bon, alors, qu'est-ce qu'on fait, maintenant ? Et ne me parle pas du cerf-volant, Hal King, sinon je… Oh, Hal ! ai-je hurlé.

C'est en prononçant son nom complet, Hal King, que je me suis rendu compte de mon erreur.

— Quoi? Qu'est-ce qui se passe? Qu'est-ce qui ne va pas?

— Non, rien, ai-je dit. Enfin peut-être! Oh! non.

— Olivia, s'il te plaît, parle clairement.

— Je viens de m'apercevoir que je n'ai pas donné le bon nom de famille, au commissariat. J'ai parlé d'Alec *King* au lieu d'Alec Denham. J'oublie tout le temps qu'il n'a pas le même nom que toi. Déjà au téléphone, tout à l'heure, je n'ai pas su comment appeler ta mère, j'étais vachement gênée, tu te rappelles?

— Et alors?

— Et alors, on n'est pas plus avancés. Il a peut-être été arrêté quand même. Hal, je suis désolée.

Je me sentais vraiment stupide et je n'avais pas du tout envie de retourner au commissariat pour m'expliquer, même si la garda avait été particulièrement gentille.

– Cette fois, tu viens avec moi, Hal. S'il te plaît.

Il a acquiescé.

Nous sommes donc entrés, timidement, et avons sonné au guichet. Au bout du même temps, la policière est réapparue.

– J'ai… euh, je me suis trompée tout à l'heure, ai-je dit en souriant bêtement dans l'espoir de lui apparaître comme une gentille petite fille qu'il fallait traiter gentiment.

– Ah bon ? a fait la garda en prenant un crayon derrière sa tête.

Le crayon devait tenir ses cheveux, car ils sont tombés d'un seul coup sur ses épaules quand elle l'a enlevé. Elle s'est mise à tapoter ses dents avec le bout du crayon.

– Trompée, comment ça ? a-t-elle ajouté.

Elle avait une bonne tête. Et avec les cheveux lâchés, elle faisait très jeune. Enfin, elle avait l'air d'une adulte quand même, mais qui ne l'était pas depuis longtemps. Elle ne m'a sans doute pas prise pour une gentille petite fille sage, mais elle paraissait sensée, comme personne.

— Je me suis trompée de nom, ai-je précisé.

— Écoute-moi bien, a-t-elle dit en se remettant à tapoter ses dents. (Après quoi, elle a tourné la pointe utile de son crayon vers moi, comme si j'étais un tableau sur lequel elle voulait montrer un point précis.) Tu es venue te renseigner sur l'arrestation – disons plutôt l'arrestation présumée – de quelqu'un dont tu ne connaissais même pas le nom ?

Elle a avancé le crayon vers moi d'un geste menaçant, sans raison apparente.

— C'est-à-dire... enfin... je le connaissais, mais...

— Tu te doutes bien qu'on ne peut pas fournir à n'importe qui des informations sur les gens en garde à vue. Il faut une bonne raison pour cela.

Le crayon s'est encore rapproché de mon nez.

— Oh, mais j'ai une bonne raison, ai-je affirmé.

— J'entends une raison que *nous* pouvons considérer comme bonne, a-t-elle corrigé d'un air sévère.

— Oui, je comprends.

Dans ma nervosité, je me suis passé la langue sur les lèvres. Elles avaient encore le goût de muffin au chocolat. J'espérais que je n'avais pas la langue marron. Je l'ai vite rentrée.

— Bon, alors, qui est cette personne sur laquelle tu veux te renseigner ? a repris la femme avec un empressement exagéré, tout en suçant la pointe du crayon qu'elle a posé ensuite sur une feuille de papier. C'est un membre de ta famille ?

— Non, ai-je dit en montrant Hal. De *sa* famille à lui. (Heureusement qu'il m'avait accompagnée, cette fois.) Mais il est trop timide pour demander lui-même.

— Ah, je vois, a-t-elle répondu. Ça peut se comprendre. Alors, quel est le nom de ce monsieur ? Si vous êtes décidés à me le donner, évidemment.

— Denham, ai-je dit.

— Denham, a-t-elle répété en écrivant.

Bon, au moins, elle n'avait pas sursauté en entendant ce nom. C'était bon signe.

— Prénom ?

À combien estimait-elle le nombre de Denham interpellés à Balnamara dans la demi-heure qui venait de s'écouler ? Je me suis bien gardée de poser la question. J'ai simplement répondu : « Alexander. »

— Et toi, tu t'appelles aussi Denham ? a-t-elle demandé à Hal.

— N... non, a-t-il bégayé. Moi, je suis un King.

— Ah bon ? On ne dirait pas ! s'est esclaffé la garda.

Ce n'était pas la première fois qu'on faisait cette blague à Hal. Il n'a pas souri.

— Et ton prénom ? a-t-elle dit plus gentiment.

— Hal.

— Et tu es bien sûr de ne pas être un King ?

— Un King, si. Pas un Denham.

— Je vois, je vois. Et Hal, c'est le diminutif de quoi. Hallelujah ?

J'ai commencé à ricaner.

— Haldane, a marmonné Hal.

J'ai plus que ricané, cette fois. Elle a froncé

les sourcils, mais on aurait dit un froncement de sourcils artificiel qu'elle avait mis comme on enfilerait un masque.

— Je n'y peux rien, a expliqué Hal. C'est ma mère qui a eu cette idée.

La femme a émis un petit rire cristallin. Puis, en fronçant à nouveau les sourcils, elle a dit sèchement :

— Dans une même famille, on porte généralement le même nom. Ce monsieur est-il un membre de la famille par alliance ? Ou un cousin du côté de ta mère, peut-être ?

— N… non, a bafouillé Hal.

— Bon. Parce que j'avais l'impression que cette personne était de ta famille. Celle qui a été interpellée, je veux dire.

Nous n'avions pas dit ça. Nous avions seulement demandé s'il avait été arrêté. Mais j'ai préféré ne pas discuter. En fait, elle n'était pas aussi sympathique que je l'avais cru. Jouer les petits anges, ça marche avec certains adultes, mais avec elle, c'était peine perdue, apparemment.

— Alors ? ai-je demandé au bout d'un moment.

Qu'est-ce que... Euh, on peut savoir si... je veux dire... ce qui se passe ?

Elle a soulevé le bout du comptoir et nous a fait signe d'entrer.

– Vous allez vous installer dans notre salle commune pour prendre un thé. J'ai fini ma journée et on va pouvoir bavarder tranquillement. Un de mes collègues s'occupera de la boutique.

Elle allait peut-être devenir sympa, après tout.

J'ai jeté un coup d'œil à Hal. Il était très pâle et les deux petites taches roses de ses joues paraissaient encore plus roses.

Il m'a regardée en haussant les épaules. Je l'ai regardé en haussant les épaules. Après quoi nous sommes passés derrière le guichet pour entrer dans cette arrière-salle, comme on pénètre dans les coulisses, au théâtre.

Il y avait d'autres guards installés là : deux en train de jouer aux cartes et un autre assis devant un ordinateur, que j'ai reconnu. C'était celui qu'on avait rencontré à bicyclette. Il m'a adressé un grand sourire et a fait un signe de la main.

Aïe, il va savoir pourquoi nous sommes là, me suis-je dit. J'entendais déjà ses questions : vous n'avez pas retrouvé votre chemin ? Et la personne que vous cherchiez, toujours pas revenue ? Mais non, il n'a rien dit. Il a reporté son attention sur son écran.

Notre garda nous a indiqué un canapé qui n'était plus de la première jeunesse. À vrai dire, on aurait dit un lit pour chiens. Mais bon, quand on emprunte, on ne choisit pas. (Encore une expression de ma mère ; c'est fou ce que les petites phrases comme ça peuvent s'imprégner dans votre mémoire, même si elles vous agacent.) Nous nous sommes donc assis, côte à côte, sur ce canapé immonde. Devant, il y avait une hideuse table basse en bois sur laquelle était posé un formulaire à remplir pour l'obtention d'un passeport. La femme s'est absentée un moment ; elle est revenue avec deux canettes de Coca et deux tasses à thé.

— La bouilloire est complètement froide, a-t-elle dit. Mais j'ai pensé que vous préféreriez ça, de toute façon.

Bien vu! Elle était superchouette, en fait.

— Bon, alors, a-t-elle repris pendant que nous nous servions du Coca. Racontez-moi toute l'histoire depuis le début.

— Tu racontes, Hal? ai-je proposé. Puisque c'est ton histoire.

Mais manifestement, il n'en avait aucune envie. Il était tout pâle et je m'attendais à entendre ses dents claquer (quoique ça aurait pu être à cause du Coca qui était glacé).

— D'accord, j'ai dit en voyant Hal secouer la tête. C'est moi qui explique alors.

Ce que j'ai fait. La garda notait tout, mais plus j'avançais dans mon récit, plus elle écrivait lentement. Elle a fini par poser son stylo et son bloc-notes, et s'est contentée de m'écouter. Elle a hoché la tête à plusieurs reprises et, une ou deux fois, elle a attrapé un mouchoir en papier dans lequel elle s'est mise à tousser et à cracher bruyamment.

— Donc, on a demandé à mon frère de laisser un message sur son répondeur, ai-je continué, et il a dû l'avoir, M. Denham a dû l'avoir, parce que ce matin il est allé à l'hôpital, ou plutôt dans l'enceinte de l'hôpital. Nous l'avons suivi, juste parce qu'on trouvait ça marrant, vous voyez, enfin à vrai dire, on ne l'a pas suivi, on est partis avant lui et on l'a attendu. Mais bref, on l'a vu franchir la grille de l'hôpital au volant de sa camionnette. Après, on a vu arriver une voiture de police. Et il n'est pas ressorti et là, on a commencé à se demander ce qui se passait.

Elle a hoché la tête au moins quinze fois avant de dire :

— Alors, à cause de vous et de votre… *blague*, vous pensez que la police a arrêté un innocent qui voulait simplement peindre un bâtiment de l'hôpital ? Le beau-père de ce garçon, c'est bien ça ?

Hal a ouvert la bouche, mais je ne voulais pas le laisser expliquer qu'Alec n'était pas vraiment son beau-père, alors je me suis empressée de dire :

— Oui, c'est à peu près ça.

— Eh bien, mes enfants, a commenté la garda, vous êtes drôlement culottés. Je n'ai jamais vu ça. Vous savez que c'est un coup à aller en prison, ça ?

À voir les coins de sa bouche qui voulaient se relever, je me doutais qu'elle réprimait un sourire, mais je restais méfiante : elle pouvait très bien nous chercher des ennuis quand même.

— C'est lui qui a eu cette idée.

Je reconnais que c'était vache de ma part, et je n'en suis pas très fière, mais c'est vrai, c'était *son* idée. Une idée qui m'avait déplu dès le départ, souvenez-vous, et j'aurais trouvé trop injuste de me retrouver en prison pour une chose dans laquelle j'avais spontanément refusé de m'impliquer. (Mais j'imagine que beaucoup de criminels disent ça.)

— Heureusement pour vous, a-t-elle dit sans tenir compte de ma remarque, vous êtes trop jeunes pour aller en prison.

Bon, ça, on s'en serait doutés. Mais tout de même, quand on se trouve plus ou moins en état d'arrestation, on est contents de se l'entendre dire de la bouche d'un responsable.

— Merci, madame, ai-je dit humblement.

— Mais dites-moi une chose, a-t-elle ajouté : pourquoi ?

— Pourquoi quoi ?

— Pourquoi avoir fait ça ? Pourquoi avoir voulu jouer un aussi mauvais tour à ce pauvre homme ?

— C'est-à-dire… ai-je balbutié en regardant Hal.

Je ne pouvais quand même pas lui raconter que c'était un plan machiavélique de Hal pour pousser sa mère et son beau-père à se séparer et que j'avais fait l'erreur de me laisser entraîner pour sauver la planète du réchauffement climatique.

La garda a repris :

— Mais enfin, on n'est pas le 1er avril ! Le 1er avril, d'accord, on peut s'attendre à tous les canulars. Et l'hôpital est parfois victime de ce genre de blagues de mauvais goût.

J'avais très envie de lui répondre que c'était une sorte de répétition du 1er avril, mais manque de chance, nous étions en juin. Ça n'aurait pas été très convaincant. Donc, je me suis tue. J'ai simplement bu une gorgée de Coca. C'est bizarre, mais dans une tasse, ça n'a pas le même goût.

— C'est-à-dire que… a commencé Hal. Il s'est éclairci la voix.

Nous avons tourné la tête vers lui, toutes les deux. On aurait dit qu'il avait rétréci depuis le matin. Il semblait flotter dans son pull.

— Mon père… a-t-il dit. Je ne parle pas de Lui mais de mon vrai père…

Ouille ! J'ai l'impression qu'on a atterri sur la Lune, là… ai-je pensé. Qu'est-ce que ton père vient faire dans cette histoire ? Je ne l'ai pas dit tout haut, bien sûr. Je me souvenais que Hal s'était subitement rembruni, quand le vigile de l'hôpital avait fait allusion à la disparition de son père, et je revoyais sa pâleur quand on avait discuté avec le guard à bicyclette. J'espérais qu'il n'allait pas craquer, cette fois.

J'ai regardé fixement le formulaire de demande de passeport posé sur la table devant moi. Il était à l'envers, mais en me concentrant, j'arrivais à le lire.

— Oui ? a dit la garda, subitement très calme.

Elle était tout ouïe.

Il y a eu un long silence.

J'ai eu le temps de déchiffrer le formulaire, en attendant que Hal se décide à parler. C'est ahurissant tout ce qu'on vous demande comme informations personnelles, juste pour un passeport. À croire que les gens n'ont plus de vie privée.

Deux des policiers, ceux qui jouaient aux cartes, se sont levés, ont coiffé leur képi et salué à la cantonade, et sont sortis. Hal n'avait toujours pas ouvert la bouche.

La porte s'est refermée sur les deux policiers, et le silence est revenu.

Enfin, Hal s'est mis à parler.

– Il est mort un vendredi.

Il avait dit ça d'une toute petite voix. Ç'aurait pu être la voix d'un scarabée, peut-être, ou d'une chenille, d'une créature non seulement minuscule mais aussi que l'on n'a pas l'habitude d'avoir sous le nez et qui paraît très loin.

– Je suis désolée pour toi, Hal, a dit doucement la garda.

J'entendais derrière moi les couinements de la chaise de bureau du policier assis devant son ordinateur. Il avait cessé de taper sur son clavier. On aurait dit que la pièce tout entière retenait son souffle.

Les mains croisées sur les genoux, notre policière attendait de voir si Hal allait en dire davantage. Il a poursuivi :

— Quand j'étais petit, on avait fait voler un cerf-volant, tous les deux. C'est le seul souvenir que j'ai de lui. Ça, et le fait qu'il est mort un vendredi.

Vendredi. Il y a eu comme un déclic dans mon cerveau. Rien à voir avec la pièce de puzzle qui trouve sa place, comme on dit souvent. Plutôt comme si votre voisin du dessus venait de lâcher une valise très lourde sur le parquet, une valise assez pesante pour absorber ses propres vibrations.

— Je comprends, a répondu la garda. C'est extrêmement triste pour toi, Hal.

— Oui, a confirmé Hal.

Après un nouveau silence, il a ajouté :

— C'est moi qui l'ai trouvé.

— Oh, Hal, ai-je dit dans un souffle.

C'était donc ça l'Horrible Malheur qui était

arrivé. C'était encore plus terrible que ce que j'avais imaginé.

La garda m'a jeté un regard en coin. Un regard qui me demandait de me taire.

— Je ne me souviens de rien, a poursuivi Hal. Je n'avais que cinq ans. C'est ma mère qui me l'a raconté, c'est pour ça que je le sais.

La chaise de bureau s'est remise à couiner. J'aurais voulu être ailleurs, dans un endroit animé et bruyant, un café ou une cour d'école à l'heure de la récréation.

— Sauf… a repris Hal (et à sa voix, on comprenait que c'était la première fois que cela lui venait à l'esprit)… sauf de ses chaussures. Je me souviens de ses chaussures. Elles étaient bien cirées. Comme des marrons tout brillants. (Sa voix a faibli.) J'avais oublié ça.

Cette dernière phrase, il semblait l'avoir dite pour lui-même.

J'ai remué sur ma chaise. Les chaussures, le cerf-volant, la mort. Je n'avais pas envie d'écouter tout ça.

La garda a attendu encore un peu mais Hal

n'a rien ajouté. J'entendais le tic-tac d'une pendule. Je me suis retournée : il y en avait une grosse sur le mur. Chaque fois que la grande aiguille avançait, ça faisait « clic ».

Au bout d'un moment, la policière a lancé :

— L'année dernière, je suis allée en vacances en Chine.

Oh non ! me suis-je dit. Encore une qui se met à débloquer ! Je suis poursuivie par les dingues ou quoi ? Je dois avoir une bonne tête. C'est sûrement ça. Je dois avoir la tête de quelqu'un avec qui les gens bizarres peuvent se laisser aller à leurs bizarreries.

En tout cas, j'ai dû tousser ou glousser, ou quelque chose comme ça, parce que la garda m'a regardée, mais un peu comme si elle ne me voyait pas. Comme si elle pensait à autre chose, à quelque chose de lointain.

Elle a plongé la main dans sa poche, en a ressorti un chouchou et a entrepris de se faire une queue-de-cheval. Elle avait les cheveux brillants et épais, ce qui donnait une belle queue-de-cheval. J'aimerais bien avoir les cheveux lisses.

— Mon père est venu avec moi, tu te rends compte ? a-t-elle repris en lâchant sa queue-de-cheval. Je n'étais pas partie en vacances avec lui depuis que j'avais ton âge, c'est-à-dire il y a longtemps. J'ai pensé que ça lui ferait du bien de partir au bout du monde, et il n'y a pas plus loin que la Chine, n'est-ce pas ?

— Ben non, ai-je dit, tout en pensant : « Elle est maboule ».

— J'ai des photos superbes. Mais elles sont chez moi. Des photos de nous deux en train de faire du cerf-volant. Ah, pardon, j'aurais dû commencer par là. Ça m'y a fait penser, Hal, quand tu as parlé de…

— Ah bon ? ai-je lâché. Ah, je comprends mieux.

Effectivement, j'y voyais un peu plus clair, une fois qu'elle avait raconté avoir fait du cerf-volant avec son père.

— C'était pendant une fête qui s'appelle la fête de la Pure Clarté. Il adorait les cerfs-volants.

— Super, ai-je commenté d'une voix faussement enthousiaste.

Je ne savais pas quoi dire d'autre. Je n'avais pas eu une conversation aussi étrange depuis bien longtemps.

— Oui, super, a dit Hal. (Ils ont échangé de petits sourires gênés.) La « fête de la Pure Clarté », ça sonne bien.

C'est ça, Hal, ai-je pensé. Ça sonne bien. Ça respire la pureté. C'est clair comme du chinois. Et ce qui est encore plus clair, c'est qu'il est temps de rentrer.

La femme n'a pas posé d'autres questions sur l'histoire de l'hôpital, ce que j'ai trouvé très correct de sa part, parce que Hal n'avait rien expliqué.

— Bon, alors… Euh, bon, a-t-elle dit au bout d'un moment, en se levant et en s'affairant ici et là. Je me demande bien ce qu'on va faire de vous, maintenant.

Elle a écrasé les deux canettes de Coca et ramassé les tasses collantes.

— Et M. Denham ? ai-je demandé. Vous pouvez peut-être le relâcher, maintenant que vous connaissez toute l'histoire ?

— Certainement pas, a dit la policière, debout dans l'embrasure de la porte, les mains chargées des canettes et des tasses.

Génialissime, ai-je pensé. Et maintenant ? J'ai jeté un bref coup d'œil à Hal : il était au bord des larmes.

— Pour la bonne raison qu'il n'a pas été interpellé, a continué la femme. J'ai vérifié quand vous êtes venus la première fois : personne n'a été arrêté à l'hôpital ce matin.

— Pourtant il y avait cette voiture de police ! ai-je objecté.

— C'est exact. On a eu un message de l'hôpital comme quoi ils avaient besoin de quelque chose en urgence, pour un patient. Un truc qui arrivait de Dublin par le train. Du plasma, je crois. Il a fallu aller le chercher à la gare en voiture et foncer à l'hôpital le plus vite possible.

— Du plasma ! ai-je balbutié. C'était seulement… Oh !

Hal s'est fendu d'un sourire jusqu'aux oreilles.

— Il n'est pas en détention, alors ?

— Non, je viens de vous le dire. On n'a arrêté personne. Qu'est-ce qui vous a fait croire qu'il aurait pu l'être ?

— J'sais pas, avons-nous répondu en chœur.

On devait avoir l'air carrément bêtes. Enfin, Hal en tout cas c'est sûr, et moi, je ne devais pas être tellement mieux. Bêtes, mais sacrément soulagés. Maintenant que nous savions qu'Alec Denham n'avait pas été interpellé, ça nous paraissait ridicule d'avoir imaginé qu'il ait pu l'être.

La policière a secoué la tête :

— Vous, vous regardez trop la télé.

Elle avait peut-être raison. Nous avions poussé un peu trop loin notre raisonnement à la Sherlock Holmes. Ouf ! Nous avons soupiré de soulagement.

— Mais qu'est-ce qu'il est devenu, alors ? ai-je demandé. Vous croyez qu'il est toujours perdu dans l'enceinte de l'hôpital ?

— Non. À mon avis, il est rentré chez lui.

— Mais, on ne l'a jamais vu ressortir, ai-je répliqué. On a attendu des heures, n'est-ce pas, Hal ?

— Il a dû couper, alors, a estimé la policière.

— Comment ça, « couper » ?

— Il a coupé, il est sorti par l'arrière.

L'arrière ! On s'est regardés, Hal et moi. Il était bouche bée. Moi aussi. Comment est-ce qu'on n'y avait pas pensé ? C'était tellement évident.

— Cette route… ai-je dit, mais ensuite j'ai refermé la bouche pour éviter que mon menton pende comme le godet d'une pelleteuse.

Hal a fait oui de la tête… et a terminé ma phrase en murmurant :

— … bordée d'arbres.

— On ne s'est même pas demandé où elle allait, ai-je gémi. On a simplement regardé si la fourgonnette était stationnée dans cette allée.

— On est vraiment deux andouilles, a commencé Hal.

— Deux cornichons, oui ! ai-je renchéri.

— Des vraies patates !

— Des courges, même !

— N'exagérons rien, est intervenue la garda. C'est une sortie qu'on n'emprunte presque jamais, parce qu'elle débouche sur une toute petite route pleine de nids-de-poule. La plupart des gens ne savent même pas qu'elle existe, mais si on suit cette espèce de chemin caillouteux, on arrive derrière l'hôpital.

Je me demandais pourquoi le vigile ne nous avait pas parlé de cette route de derrière, mais de toute façon on ne pouvait pas dire qu'il nous avait tellement aidés. Et peut-être n'avait-il pas plus pensé que nous à cette autre sortie.

Je me suis tournée vers la garda :

— Vous voulez dire qu'à l'heure qu'il est il est en train de regarder les résultats du tiercé à la télévision ?

— Je suppose, a-t-elle répondu gaiement. Si toutefois c'est ce qu'il fait habituellement le samedi.

Comment avions-nous pu être aussi stupides !

— Alors, on a carrément perdu notre temps ? Pour rien du tout ?

— Oh, je ne dirais pas ça, nous a rassurés la policière. Je dirais plutôt que vous aviez des choses à expliquer.

– Désolée, ai-je repris, en balançant un petit coup de pied dans la cheville de Hal.

Enfin non, pas vraiment un coup de pied, disons une tape, avec le côté du pied.

– Oui, désolé, madame, a daigné dire Hal.

Elle a souri, a ouvert la porte d'un coup de hanche et a disparu pendant quelques instants.

En revenant, elle a déclaré :

– Bon, alors, je vous renvoie chez vous avec une voiture de police ?

– Surtout pas ! ai-je glapi.

C'était déjà bien assez d'être abrutis, stupides, idiots et cornichons, on n'avait pas besoin, par-dessus le marché, de passer pour des criminels. Vous imaginez, si on était rentrés chez nous dans une voiture de police ? Ma mère m'aurait tuée. Elle allait me tuer de toute façon, mais si j'arri-vais escortée par des policiers, elle me truciderait encore plus !

– Oui ! a lancé Hal au même moment.

C'est bien les garçons, ça. Prêts à sauter sur une occasion de monter dans une voiture de police, même si ça doit faire honte à leurs parents.

La garda a éclaté de rire.

— Mettez-vous d'accord !

— S'il te plaît, Olivia, m'a dit Hal. Tu te rends compte ? Une voiture de police !

— Mais on a nos bicyclettes, ai-je objecté.

Je n'avais jamais été aussi heureuse d'en avoir une.

— Vous les avez laissées dehors ? a demandé la femme en regardant par la fenêtre. Je ne les vois pas. Je peux quand même pas imaginer qu'on viendrait voler deux bicyclettes devant un commissariat !

— Non, ai-je dit. Elles sont sur la place du Marché. À côté de la statue du poète.

— La statue de Kavanagh, a précisé la femme.

— Ah, c'est lui ?

— Oui, c'est mon poète irlandais préféré, a-t-elle ajouté. On a étudié ses poèmes à l'école. Il est très célèbre.

— Il faut certainement être célèbre pour mériter une statue.

— Et mort, a ajouté Hal.

— Tout à fait, a dit la femme. Élever une

statue à quelqu'un qui est mort, c'est une façon de lui rendre hommage. Puisqu'on ne peut pas lui faire de cadeau.

— Mmm, a commenté Hal.

Nous voilà lancés dans une discussion sur les morts et les statues ; après, on va se faire raccompagner en voiture de police et nos parents vont nous massacrer ! Génial !

— Bon, écoutez, faisons un compromis. Je vous raccompagne avec la voiture de police jusqu'à la place du Marché, là où vous avez laissé vos bicyclettes. Ce n'est pas très loin, mais les enfants qui passent leur samedi à faire perdre son temps à la police ne méritent pas mieux. C'est une infraction, vous savez.

Je savais qu'elle ne nous menaçait pas vraiment. Je crois qu'elle voulait simplement nous rappeler qu'on ne peut pas s'amuser à perturber la police, même s'il vous est arrivé quelque chose d'Horrible. Ah, au fait, après coup, je me suis renseignée sur Kavanagh ; je ne suis pas spécialement intéressée par les statues, mais en revanche j'aime bien la poésie. Il a écrit un magnifique poème sur les canaux et les villes lointaines. Notre ville est certainement une ville lointaine. C'est peut-être pour ça qu'on a une statue de lui.

Vous ne pouvez pas imaginer à quel point c'est banal, à l'intérieur, une voiture de police. À l'arrière, les sièges étaient recouverts d'une de ces housses extensibles marron, un peu molletonnées, comme on en voit souvent dans les voitures ; je trouve ça hideux, je ne sais pas pourquoi. Il y avait aussi, accroché au rétroviseur, un petit sapin de Noël parfumé : ça sent la même chose que le désodorisant qu'on met dans les toilettes pour que ça ne sente pas les toilettes.

Notre garda a pris le volant, et le policier que nous avions rencontré sur son vélo (le même que celui qui était devant l'ordinateur, dans le commissariat), s'est assis à l'avant, à côté d'elle. Hal n'a pas apprécié, mais il ne pouvait rien dire. C'était leur voiture.

– Vous allez mettre la sirène ? a-t-il demandé, une fois nos ceintures attachées.

La garda a éclaté de rire, mais comme elle était sympa, elle a mis la sirène.

– Ah, super ! s'est exclamé Hal. Puis nous avons foncé en direction de la place du Marché. *Pin-pon ! pin-pon !* J'avoue, c'était vraiment cool.

– Bon, eh bien, au revoir, nous a dit la garda quand nous sommes descendus de la voiture. Et la prochaine fois, a-t-elle ajouté avec un sourire, essayez d'avoir le nom de la personne que vous recherchez. Ça paraîtra moins suspect.

– Ça m'étonnerait qu'il y ait une prochaine fois, ai-je dit.

Soyons réalistes : ça n'arrive quand même pas tous les jours que quelqu'un que vous connaissez se fasse arrêter dans l'enceinte d'un hôpital. Enfin, presque arrêter.

Elle nous a serré la main à tous les deux, par la fenêtre de sa portière, en disant :

– Je m'appelle Sonya O'Rourke. Si vous avez de nouveau des problèmes, appelez-moi, OK ?

– Merci, Sonya, a répondu Hal.

Je lui ai donné un grand coup de coude.

– Merci, agent O'Rourke, ai-je rectifié.

– Tiens, a-t-elle repris en sortant un petit carnet. Elle y a écrit quelque chose avec son crayon, puis elle a arraché la page, l'a pliée en quatre et l'a tendue à Hal.

– Hum, merci, a balbutié Hal en regardant le papier plié.

On leur a fait au revoir de la main et elle a remis la sirène, juste pour s'amuser.

– C'est son numéro de téléphone ? ai-je demandé à Hal, en montrant du menton le morceau de papier. Eh ben, dis donc, elle t'aime bien.

Hal a rougi avant de fourrer le papier n'importe comment dans sa poche.

Je n'avais pas du tout hâte d'affronter mes parents, après m'être absentée pratiquement toute la journée, sans leur permission. Chez moi, on a horreur de ce genre de choses. Ça fait grincer des dents.

12

Le lendemain matin, Larry a téléphoné de Paris. Après tout le grabuge qu'il y avait eu à la maison à mon retour, j'avais presque oublié l'existence de mon frère roman.

— Salut, Larry ! ai-je roucoulé. Comment tu vas ? Et Paris, c'est comment ? Génial ? Tu manges des croissants au petit déjeuner ? Tu t'amuses bien avec tes potes ? J'imagine que vous faites les fous dans votre auberge de jeunesse ? Ce que j'aimerais être au collège pour...

— Oui, Liv, c'est supercool. Mais écoute, tu peux me passer papa ou maman, s'il te plaît ? C'est urgent.

— Ils sont à la messe. On est dimanche, ici.

Je leur prépare le petit déjeuner en gage de réconciliation.

— Ici aussi, on est dimanche, a répondu Larry. On est allés à Notre-Dame. Gothique, a-t-il ajouté, avant que je ne le dise. Comment se fait-il que tu sois seule à la maison ? Est-ce qu'ils auraient enfin cédé à ton exigence de pouvoir penser librement ?

Oh ! là, là ! Mon frère se mettait à faire de l'humour ! Ce devait être l'air de Paris. Mais je me suis bien gardée de rire de son mot d'esprit. Ça lui aurait fait trop plaisir.

— Non, ai-je répondu. Je suis privée de sortie. Stricte assignation à résidence.

— Assignation à résidence ! Ce n'est pas une raison pour...

— Je sais, je sais, ai-je soupiré. On ne va pas s'embarquer là-dessus, Larry.

Mes parents avaient vu rouge quand je leur avais dit que si j'allais avec eux à la messe, ce serait un manquement aux règles de mon assignation à résidence, mais ils n'avaient pas le temps de discuter. Ils sont partis furieux en marmonnant : «Tu ne t'en tireras pas à si bon compte, ma fille.» Le «ma fille» n'annonce jamais rien de bon.

— Pourquoi? a voulu savoir Larry. Pourquoi es-tu assignée à résidence, comme tu dis?

— À cause d'hier et d'Alec — tu sais M. Denham, le soi-disant beau-père de Hal — qu'on a failli faire arrêter, Hal et moi. Et toi.

— Arrêter! Qu'est-ce qui s'est *passé*, Olivia?

— Oh, t'inquiète pas, c'est réglé. On a seulement cru qu'il avait été interpellé, mais en fait…

Larry m'a coupé la parole.

— Liv, ce coup de téléphone me coûte les yeux de la tête. Tu me raconteras tout ça à mon retour. Mais écoute-moi, d'accord? Je me suis mis dans… Je ne dirais pas dans le pétrin mais…

Larry dans le pétrin. C'était nouveau, ça. J'étais curieuse de savoir pourquoi.

— Qu'est-ce que tu as fait, Larry?

— Euh… je suis embarqué dans une sacrée galère et il y a pénurie de rames.

Larry est un peu comme ma mère, pour ça. À force de vouloir à tout prix être drôle, il finit par être pompeux et ridicule.

— Larry, ai-je repris, exaspérée, je croyais que tu étais pressé. Alors, abrège mon supplice et dis-moi ce qui se passe.

— Je me suis fait voler mon passeport.

— Oh, Larry ! C'est malin, ça ! (Je dois avouer que j'ai pouffé de rire.) Tu l'as perdu, c'est ça ?

— Peu importe. En tout cas, je ne l'ai plus. Le prof m'a demandé d'appeler à la maison. On l'a signalé à la police française, mais ça n'a pas eu l'air de les intéresser.

J'ai légèrement frissonné en entendant le mot « police ». Décidément, je trouvais que, dans cette famille, on avait un peu trop affaire aux flics depuis quelque temps.

— Et alors, qu'est-ce qui va se passer ? Tu vas rester coincé là-bas ? Mon pauvre chou : condamné à vivre de *petits pains au chocolat* !

— J'sais pas, a dit Larry. Dis-leur de m'appeler dès qu'ils rentrent, d'accord ? C'est un peu angoissant. Quelqu'un m'a dit que c'était illégal de sortir de ce pays sans papiers.

— Quels papiers ?

— Les papiers d'identité, m'a expliqué Larry. Le passeport.

— Oh, Larry ! Tu vas être obligé de rester enfermé pendant tout ce temps ? Assigné à résidence *hôtelière* ?

— Non, non. Je vais prendre le risque. Il faut vivre dangereusement, c'est ma devise.

Ça, c'était tout sauf la devise de Larry ! Paris devait lui monter à la tête.

Quand mes parents sont revenus, tout prêts à reprendre notre altercation là où nous l'avions laissée, je leur ai annoncé que Larry vivait dangereusement à Paris. Ils n'ont pas trouvé ça drôle. Ça les a énervés, ils en ont fait tout un pataquès et ont commencé à téléphoner à plein de gens. Mais comme on était dimanche, ils ne pouvaient pas faire grand-chose, sauf dire à Larry d'aller le lendemain matin, à la première heure, faire une déclaration à l'ambassade d'Irlande à Paris.

Heureusement, tout ce remue-ménage à propos de Larry et de son passeport perdu m'a permis de souffler un peu. Bon, d'accord, ils m'ont quand même obligée à aller à la messe plus tard dans la matinée. Les parents finissent toujours par gagner, vous savez bien. Remarquez, ça ne m'a pas dérangée. On a une chorale qui chante du gospel. C'est super.

Finalement, il y avait quand même quelqu'un à l'ambassade à Paris, alors qu'on était dimanche, et ce quelqu'un leur a dit de ne pas s'inquiéter, qu'ils s'occuperaient du problème de passeport de Larry ; et en fin de compte, Larry a même été invité à dîner par l'ambassadeur qui était un ami d'une connaissance de mon père. C'est tout à fait Larry, ça. Il se met dans une situation qui pourrait vraiment mal tourner et il finit pas se faire inviter à un dîner huppé. C'est pas à moi que ça arriverait ! Moi, je bois du Coca dans une tasse, dans un commissariat miteux. Et Hal aussi. Subitement, je me suis souvenue de toute l'affaire de la veille, de la mort du père de Hal et tout ça. En comparaison, boire du Coca dans une tasse n'était pas bien méchant, franchement.

Maintenant que j'y repense, ce n'était peut-être pas exactement l'ambassadeur, mais c'était quelqu'un de haut placé à l'ambassade.

– Bon, alors, si on t'offre un verre de vin au dîner, Larry, lui a très sérieusement recommandé ma mère, par téléphone, tu peux en prendre un *tout petit peu* en y ajoutant *beaucoup* d'eau, sinon, c'est non. C'est clair ?

– Ah bon, Larry a le droit de boire maintenant ? ai-je demandé.

– Il est en France, les gens boivent du vin en mangeant, là-bas. Ça ne compte pas. Ce n'est pas vraiment « boire ».

– Hier aussi il était en France, et il n'en était pas question.

– Mais à ce moment-là il se trouvait avec un groupe d'élèves irlandais. Cette fois, il va dîner avec le troisième secrétaire. (Je me suis demandé de combien de secrétaires un ambassadeur avait besoin.) C'est différent.

– Non, c'est pareil, ai-je rétorqué. Il n'a quand même que quinze ans.

Je ne comprends pas. Les parents font n'importe quoi, avec leurs règles. C'est comme la privation de sortie qui ne s'applique pas à la messe. Quand je serai grande, je serai plus cohérente.

13

Hal est passé chez moi, dans l'après-midi, son cerf-volant sous le bras. C'est mon père qui lui a ouvert. Je l'observais depuis le haut de l'escalier. Rien qu'à sa façon de se tenir, je voyais qu'il était mécontent.

— Bonjour, monsieur O'Donoghue, a dit Hal. Olivia peut sortir ?

— Non ! a aboyé mon père. Mais en même temps, il a fait un signe de tête signifiant que Hal pouvait entrer pour me voir. Même en prison, on a droit à des visites, non ?

— Qu'est-ce qui se passe ? a chuchoté Hal dès que nous nous sommes installés dans la salle à manger — qui est la meilleure pièce, parce que les adultes n'y entrent jamais, sauf si on a du monde à dîner, ce qui n'arrive évidemment pas le dimanche après-midi.

– À Paris, Larry doit aller dîner chez des gens de l'ambassade d'Irlande, ai-je raconté, dans un appartement plein de gros coussins en soie dorée (ça, c'était pure invention, mais j'imagine que c'est le summum du luxe), et il y a des volets mais ils ne les ouvrent pas ; alors c'est sombre et mystérieux et ça sent le chat et les fleurs séchées. Tu vois un peu ? Ça doit être une super-aventure !

J'aurais tellement voulu aller à Paris. Je m'imaginais avec trois ans de plus, chaussée de hauts talons et vêtue d'une petite robe noire, dans des pièces hautes de plafond et tapissées de livres, en train de discuter d'un sujet sérieux, philosophie, cinéma, ou je ne sais quoi, mais le truc sérieux. Et les gens seraient suspendus à mes lèvres. Ce serait autrement mieux que ma vie d'aujourd'hui, où on m'assène que je ne suis plus un bébé pour me dire, l'instant d'après, que je dois obéir.

Hal a secoué la tête.

– Alors ? lui ai-je demandé. Qu'est-ce qui s'est passé quand tu es rentré chez toi, hier ?

— Eh ben, on a déjeuné. Des gaufres et des haricots à la tomate.

— Beurk !

— Normalement, c'est brocolis et gâteau de riz, le truc que mangent les femmes. Après, j'ai mis une bordure au cerf-volant, regarde. Je l'ai faite avec du papier peint que j'ai trouvé dans une benne, près de chez nous.

— C'est très joli, Hal, ai-je commenté.

— J'ai réfléchi à ce que tu m'as dit à propos du cerf-volant bleu qui ne se voit pas dans le ciel, et je me suis dit qu'une bordure rouge le rendrait plus visible.

— Bon, ça me fait plaisir de savoir que tu m'écoutes quelquefois. Alors, c'est le rouge du mercredi ?

— Non ! s'est-il écrié. Le mercredi, c'est pas du tout le même rouge !

— D'accord, ai-je dit, tout en pensant : « Il est vraiment dingue. »

Il avait aussi fixé deux grandes queues à son cerf-volant. L'une était faite d'un vieux morceau de bolduc, l'autre de nœuds en papier de différentes couleurs : violet, jaune, vert, rouge, rose, turquoise et or. C'était magnifique, et chaque nœud était légèrement plus petit que le précédent, si bien que la queue s'estompait jusqu'à un minuscule nœud mauve pas plus grand qu'un bouton de chemise. Hal est vraiment un artiste, quand il veut.

— C'est vraiment top, Hal, mais dis-moi ce qui s'est passé.

Je mourais d'envie de savoir comment ils avaient réagi à cette histoire d'hôpital et si la dispute entre sa mère et Alec avait repris quand elle était revenue du golf. Je trouve ça *tellement* intéressant, cette situation.

— Je te l'ai dit.

— Mais Alec, qu'est-ce qu'il a dit ? Il a parlé du coup de l'hôpital ?

— Avec moi ?

— Avec toi, oui, avec ta mère, je ne sais pas. Vous avez bien bavardé, en mangeant les gaufres ?

— Il n'en mange pas Lui. Il...

— Hal !

— Quoi ?

— Écoute, on va procéder par étapes. Quand tu es rentré, hier, il y avait qui, chez toi ?

— Ma mère était toujours au golf.

— Bon. Et Alec ?

— Il buvait une bière dans l'arrière-cour.

Donc, il était rentré avant Hal. Il ne s'était pas trouvé embringué dans un truc cauchemardesque à l'hôpital, il n'avait pas passé des heures à chercher partout un certain Clem Clingham et un pot de peinture. Il devait connaître depuis longtemps la sortie de derrière. Sans le savoir, il avait marqué un point sur nous.

— Alors, tu as passé la tête dans l'entrebâillement de la porte de derrière et tu as dit… Ah ! mais non, c'est vrai que tu ne lui adresses pas la parole, alors tu lui as peut-être fait un signe ?

— Lui faire signe, à Lui ? Non, j'ai posé ma bicyclette sur le côté de la maison, c'est tout. Normalement je la range dans l'arrière-cour, mais Il était là sur une chaise longue, en combinaison de peintre.

— Et alors ?

— Alors, j'ai dit : «Tu travaillais ce matin, à ce

que je vois ? Je croyais que tu accompagnais ma mère au golf. »

— Hal ! Tu lui as *parlé* !

— Ben, oui, je me suis dit que c'était pas normal qu'il porte sa combinaison de peintre le week-end, et j'ai pensé que si je ne le remarquais pas, ça voudrait dire que j'évitais ce sujet et ça aurait pu paraître louche.

— D'accord, mais je croyais que tu ne lui parlais plus depuis qu'il avait emménagé chez vous.

— C'est-à-dire que je n'ai jamais rien eu à Lui dire, avant. Rien d'essentiel. Mais hier, c'était important que je Lui dise quelque chose après… tout ce qui s'est passé. C'est pour ça que je l'ai fait.

— OK, et qu'est-ce qu'il a répondu, lui ?

C'était difficile de faire parler Hal, il fallait lui arracher chaque mot.

— Rumpfmm… Un truc comme ça.

Ma méthode d'interrogatoire n'était décidément pas très efficace.

— Et ta mère, elle est rentrée quand ?

— Elle n'est pas rentrée.

— Comment ça, pas rentrée ? Elle a bien dû revenir le soir, à l'heure de se coucher.

— Non.

— Elle n'est pas rentrée de la nuit ?

— J'ai bien l'impression.

— Hal !

— Ça a un peu le goût de sauce au curry, a dit Hal en jetant un coup d'œil au cerf-volant.

— Quoi ? Le fait que ta mère ne soit pas là ?

— Mais non ! s'est-il exclamé, comme si j'avais pu deviner qu'une chose comme ça ne peut pas avoir de goût.

Comment savoir ce qui a un goût et ce qui n'en a pas, dans le drôle d'univers de Hal ?

— La bordure du cerf-volant, a-t-il dit. Ce rouge. La sauce au curry vert. C'est marrant comment les rouges et les verts se mélangent. C'est la première fois que je m'en aperçois.

Le cerf-volant, le cerf-volant, il n'y en avait que pour le cerf-volant ! Hal était incapable de se concentrer sur autre chose.

À part ses idées saugrenues sur les goûts et les couleurs.

— Hal ! ai-je hurlé d'une voix de stentor.

J'avoue y avoir été carrément fort. J'ai vu ses épaules se recroqueviller et son corps s'effondrer, comme chaque fois qu'il est bouleversé. Son visage me faisait penser à un flocon de neige qui reste collé à l'extérieur d'une fenêtre et que l'on regarde de l'intérieur, en sachant que d'une seconde à l'autre il va glisser et disparaître.

— Pardon, ai-je dit, m'excusant d'avoir crié. Mais il n'avait pas l'air de m'entendre. Eh, Hal, elle a téléphoné au moins ? Pour dire qu'elle dormait chez une copine ?

— Non.

— Et Alec, il t'a expliqué où elle était ?

— Non.

— Alors, vraiment, *personne* ne parle dans votre famille ? Je sentais que j'avais pris un ton de psychologue, comme ma mère.

— Il ne fait pas partie de ma famille.

— Oh, Hal !

— Si on allait à la plage, faire du cerf-volant ?

— Non, ai-je répondu. J'ai pas le droit. Je suis privée de sortie.

– Pourquoi ?

On aurait dit le vent, la manière dont il avait dit ça, le vent pris au piège entre de grands immeubles. Il devait avoir vraiment besoin d'aller faire du cerf-volant.

– À cause d'hier, lui ai-je expliqué, parce que j'étais partie toute la journée. Mes parents sont furieux. Toi, t'as de la ch…

Je me suis arrêtée juste à temps. La mère de ce garçon avait… disparu apparemment. On ne pouvait pas lui en vouloir de se comporter bizarrement. Je me suis surprise à penser « pauvre Hal ». C'est ce que ma mère dit toujours. Il était plus pâle que jamais, pour autant que ce soit possible. Si ça continue, me suis-je dit, inquiète, il va se transformer en ange et s'envoler d'un seul coup.

– Quand est-ce que tu ne seras plus punie ?
– Je n'ose pas leur demander.

Nous nous sommes tus pendant un moment. J'admirais le cerf-volant. Hal, lui, restait assis là, immobile. On aurait dit qu'il surveillait l'écoulement des dernières gouttes de sang de sa tête vers ses pieds. C'est sûrement normal de faire cette tête-là quand on se demande où est partie sa mère. Mais moi, je n'aimais pas ça. Hal n'était plus lui-même.

— Olivia, a-t-il dit enfin de cette minuscule voix d'insecte qu'il avait déjà eue la veille, au commissariat. Et si ma mère ne revenait pas ?

Je m'étais posé exactement la même question, sans oser le lui dire, bien entendu.

— Mais elle va revenir, voyons, Hal. Les mères ne disparaissent pas comme ça. Leur mission, leur boulot, c'est de tenir bon.

— J'aurais pas dû faire ce coup de la morgue. Tout est de ma faute. C'était Lui qui devait partir, pas elle. Je voudrais…

— Arrête de dire n'importe quoi ! Il n'y a aucun rapport entre le mauvais tour que tu as joué à Alec et le fait que ta mère ne soit pas rentrée hier soir. C'est dû à ce qui se passe entre eux. Tu verras que tu n'y es pour rien du tout. Ils sont en train de se faire bêtement la tête.

Je ne sais pas très bien comment les adultes pensent, mais je m'en suis fait une idée en regardant *EastEnders**. (Normalement, je n'ai pas le droit de regarder *EastEnders*, mais, eh oh! il faut quand même que je vive dans le monde réel, n'en déplaise à mes parents.)

En tout cas, je suis d'avis qu'un couple ne se sépare pas parce que l'un des deux refuse d'aller à un tournoi de golf. Et de toute façon, même si elle voulait quitter ce brave Alec, la mère de Hal n'allait pas *abandonner* son fils, vous ne croyez pas? Non, il y avait forcément une autre explication.

— Hier matin, avant de partir à son truc de golf, elle n'arrêtait pas de claquer des portes et de hurler. Elle était *furieuse* contre Lui. Ça m'a réveillé, tous ces cris.

Je dois dire que la situation avait l'air assez grave. Dans ma famille on ne hurle pas, sauf si on fait un cauchemar en pleine nuit.

Mais j'ai dit:

— Écoute, voilà ce qui a dû se passer: elle a

* *EastEnders* est un feuilleton télévisé diffusé sur la BBC depuis vingt-cinq ans, qui raconte la vie d'une famille et de ses voisins dans un quartier imaginaire de Londres.

sans doute bu quelques verres après le tournoi, peut-être qu'elle avait gagné, et elle n'a pas vu l'heure passer, et après elle s'est dit qu'elle ferait mieux de ne pas prendre la route en état d'ivresse, tu ne crois pas ? Elle a dû voir ces pubs à la télé où on montre quelqu'un en train de boire un verre, et à l'image d'après, une route jonchée de corps déchiquetés.

Ou alors, ai-je pensé, elle avait vraiment trop bu et, au lieu de décider de dormir sur place, elle avait pris la route et basculé dans le fossé. Oh ! mon Dieu ! Si ça se trouve, elle y était encore, avec des corbeaux en train de lui arracher les yeux. Mais je n'ai pas dit ça à haute voix.

— Elle est certainement restée dormir au club de golf ou chez une amie. Elle sera rentrée en fin d'après-midi. Tu vas voir.

Je ne pouvais qu'espérer avoir raison.

— Mais pourquoi elle a pas téléphoné ?

— Elle l'a sûrement fait. Elle a dû appeler Alec.

— Il ne me l'a pas dit.

— Il ne te l'a pas dit parce que vous ne vous parlez pas. C'est bien joli votre silence à tous les deux, mais comment tu vas savoir ce qui se passe, si tu ne poses pas de questions ?

— Ouais, a répondu Hal qui semblait subitement rassuré. Tu as raison. Elle l'a sûrement appelé. Il a dû croire que j'étais au courant, c'est pour ça qu'il n'en a pas parlé. Ouais, c'est sûrement ça. Je *vais* Lui poser la question.

— Très bien, Hal. Voilà comment il faut réagir.

— Dans ce cas-là, je ferais mieux de rentrer pour voir ce qu'il en est.

— D'accord, ai-je dit.

— À demain, Olivia.

— Ouais, à demain. Non, demain c'est férié. On se voit mardi. À l'école.

— Ah oui, c'est vrai. À mardi, alors.

— Salut, Hal ! j'ai lancé quand il a refermé la porte derrière lui.

D'ici mardi, ce sera réglé, ai-je pensé, optimiste. C'était plus facile d'être optimiste quand Hal n'était pas en face de moi, effondré dans un fauteuil, la mine lugubre. Sa mère lui téléphonerait certainement le lendemain, ou alors elle serait de retour et raconterait une histoire de crevaison et de train manqué ou je ne sais quoi. Tout rentrerait dans l'ordre. Les mères ne laissent pas tomber leurs enfants. Je n'ai jamais entendu parler de ça.

14

Je me trompais. Le mardi, à l'école, Hal était absent. Je n'avais pas la moindre idée de ce qui pouvait se passer chez lui. Je n'osais même pas l'imaginer.

Gilda et Rosemarie s'étaient disputées pendant le week-end, et tout le mardi, chacune a essayé de m'obliger à prendre parti. Elles sont épuisantes, ces deux-là. Je me suis efforcée d'être exactement aussi gentille avec l'une qu'avec l'autre, pour ne pas servir d'alibi à leur fâcherie. Elles s'étaient disputées à propos d'un flacon de vernis à ongles. Personnellement, je ne vois pas l'intérêt de se mettre du vernis à ongles. La seule fois où j'ai essayé, ça m'a donné des fourmis dans les ongles, c'était très désagréable. N'empêche qu'elles ont fini par m'accuser, toutes les deux, alors que leur querelle ridicule n'avait rien à voir avec moi. C'est curieux ce besoin qu'ont les gens de rendre une tierce personne responsable de leur désaccord. Mais bon, je commence à avoir l'habitude de leur numéro. Et ce jour-là, j'ai laissé courir, un point c'est tout.

Je n'ai pas le droit d'appeler Hal sur son portable avec le téléphone de la maison, parce que ça coûte trop cher ; donc, à peine rentrée de l'école, j'ai téléphoné chez lui plusieurs fois, mais je tombais tout le temps sur le répondeur.

Je n'ai pas laissé de message, ne sachant pas qui l'écouterait.

Le mercredi, il ne s'est rien passé à l'école, à part que Gilda et Rosemarie ne m'ont pas adressé la parole – en étant aussi gentille avec l'une qu'avec l'autre, j'avais fini en quelque sorte par les vexer toutes les deux – et que Hal était toujours absent.

Le mercredi soir, Larry est rentré, tout penaud. Son passeport était réapparu au fond de son sac à dos, où il l'avait caché… pour ne pas le perdre.

— Mon œil d'espion voit quelque chose qui commence par la lettre « p », ai-je dit d'un ton moqueur.

Il n'a pas trouvé ça drôle.

Ce que mes parents n'ont pas apprécié, eux, c'est le tatouage qu'il s'était fait faire à Paris. Moi, je trouvais ça très gothique comme attitude, étonnant de la part de Larry qui est tout le contraire. Enfin il faisait preuve d'un peu de fantaisie ! C'était un joli tatouage, une sorte d'oiseau, un paon peut-être, ou un phénix, qui s'enroulait de façon assez spectaculaire autour de son poignet, mais la place du tatouage était vraiment mal choisie, parce qu'il descendait sur la main ; il se verrait tout le temps. Même une chemise à très longues manches ne pourrait pas le cacher.

Ma mère a piqué une crise.

— Mais qu'est-ce que j'ai fait de travers ? hurlait-elle. À quel moment est-ce que j'ai fait fausse route ?

— Tu n'as pas fait fausse route, maman, lui

ai-je expliqué. C'est Larry qui a eu cette idée. Tu n'y es pour rien, toi. Tu as fait de ton mieux avec lui ; ce n'est pas ta faute s'il a mal tourné.

– *Mal tourné* ! a-t-elle grondé, comme si j'avais accusé Larry d'avoir organisé un massacre à la tronçonneuse, alors que je voulais juste être gentille avec elle, lui laisser entendre qu'il ne fallait pas prendre trop à cœur les petits défauts de Larry. Mais en réalité je pensais au fond de moi que, d'après les propres théories de ma mère, mon frère avait dû se faire faire ce tatouage à cause d'un truc qui s'était passé dans sa petite enfance, un truc qui l'avait poussé à être méchant. Encore qu'un tatouage ne soit, de mon point de vue, pas bien méchant, mais j'imagine qu'aux yeux de maman c'est un crime.

J'ai réfléchi à ce que je pourrais dire pour l'aider.

– Remarque, un piercing ce serait pire, ai-je finalement lancé. Même à un endroit où ça ne se voit pas.

En entendant ça, ma mère s'est mise à hurler comme un putois.

— Mets-la *dehors*! a-t-elle crié à mon père, comme si j'étais un chat galeux ou un rat pestiféré. Moi qui venais de me vanter que personne ne hurle jamais, chez moi! Comme quoi, il y a un début à tout!

— Mais j'ai seulement *imaginé*... me suis-je défendue.

— Ça suffit, Olivia, a lancé mon père.

Décidément, ce n'était pas une bonne semaine pour moi. La vie est injuste parfois! Et là, il ne s'agit que de *ma* vie, qui n'est pas trop moche, dans l'ensemble. Comparée au calvaire que subit ce pauvre Hal.

— Et il n'y a pas de méridienne dans la maison, m'a chuchoté Larry à l'oreille, d'une petite voix ridicule, très aiguë, au moment où je tournais les talons pour quitter la pièce, la tête haute, drapée dans ma dignité.

Je n'ai pas pu garder mon sérieux, ni ma tête haute, ni mon air digne : j'ai pouffé de rire. Ma mère n'y a pas été par quatre chemins : elle m'a jeté trois coussins à la figure, flink, flonk, flunk. Elle avait sûrement cru que je me moquais d'elle.

— Sors d'ici, a-t-elle grondé.

Je n'étais pour rien dans tout ça. Larry avait fait l'andouille et c'était moi qui prenais, une fois de plus. Décidément, je suis vraiment une incomprise.

Un des coussins m'a frappé l'oreille. Si ç'avait été un livre ou une tasse ou n'importe quel objet dur, ça m'aurait assommée. Heureusement que ma mère était assise sur un canapé et pas devant une bibliothèque ou une table, sinon j'aurais été obligée de la dénoncer à une assistante sociale.

15

Le jeudi, Hal est enfin revenu en classe.

Il ne portait pas son sweat-shirt de l'école. Nous n'avons pas vraiment d'uniforme dans notre école, mais un sweat-shirt réglementaire. Il est bordeaux, assez horrible, mais il faut dire que les instituteurs n'ont absolument aucun goût pour les vêtements d'enfants. On pourrait penser qu'on leur apprendrait ce genre de choses à l'université : « Écoutez bien, c'est très simple : les enfants détestent la couleur bordeaux. Bleu, turquoise, rouge, jaune, orange, argent, violet, pas de problème, même noir, à la limite, tout ce que vous voulez mais pas bordeaux. D'accord ? Ni bleu marine, ni marron, ni vert caca d'oie. » Mais non, et voilà pourquoi, dans notre pays, il n'y a pas un seul enfant qui aime sa tenue d'école. Je suis sûre que c'est très mauvais pour nous d'être contraints de porter tout le temps des habits qu'on déteste. Ça fera de nous des esclaves de la mode, plus tard; on dépensera toute notre paie dans des chaussures Gucci, pour essayer de compenser notre enfance malheureuse.

Hal portait un sweat-shirt bleu tout usé aux coudes. Et il paraissait plus maigre, plus petit, plus pâle que d'habitude. On aurait dit qu'il ne s'était pas peigné depuis plusieurs jours. Il avait un bouton de fièvre au coin de la lèvre.

– Hal, qu'est-ce qui t'arrive? lui ai-je demandé sur le chemin du retour.

Je n'avais pas eu l'occasion de lui parler avant.

– Comment ça? a-t-il marmonné.

– Tu n'es pas dans ton assiette, Hal. Comment se fait-il que ta mère te laisse aller à l'école avec ce sweat-shirt? Tu as eu de la veine que Mme Moriarty ne t'ait pas vu, sinon tu aurais passé un mauvais quart d'heure.

Mme Moriarty, la directrice de notre école, nous fiche pas mal la trouille, disons cinq ou six sur une échelle de un à dix. Elle fiche la trouille non pas parce qu'elle est particulièrement méchante, à part pour cette histoire de sweat-shirt réglementaire qui est une obsession chez elle, mais parce qu'elle est très grande – et les gens très grands sont effrayants pour ceux qui sont petits. Elle en rajoute en portant des chaussures à hauts talons, qui font du bruit en plus. Kate, notre institutrice de cette année, ne fiche pas du tout la trouille, elle est à moins deux sur l'échelle. Et le sweat-shirt, elle s'en soucie comme d'une guigne. J'ai appris ce que c'est qu'une guigne : c'est une cerise sauvage, mais je me demande pourquoi les gens se soucient toujours de quelque chose comme d'une guigne et pas comme d'un fruit plus courant comme une pomme ou une banane.

– J'ai pas trouvé le bon, m'a répondu Hal, en parlant du sweat-shirt.

– Tu étais malade ?

Il a secoué la tête.

Il a fallu que je lui pose la question qui tue :

– Hal, ta mère n'est toujours pas rentrée ?

Il a fait non de la tête.

— Donc, tu es tout seul à la maison avec le Furet ? Depuis *samedi* ?

Il n'a rien dit. La situation était très, très critique. J'essayais d'imaginer ma mère absente de la maison, j'essayais d'imaginer combien j'aurais été triste — même si, pas plus tard que la veille, elle m'avait jeté non pas un, non pas deux, mais trois coussins à la figure.

— Et... elle rentre quand ?

— J'sais pas. J'sais pas où elle est.

— Alec non plus ?

— Apparemment.

— Hal, c'est pas possible que tu ne saches pas où est ta mère !

C'était insensé. *Anormal.*

— Pourtant, c'est comme ça.

— Elle a peut-être perdu la mémoire, ai-je risqué.

— Ça se peut.

— Ou alors elle a eu un accident. (Je ne voulais pas suggérer quoi que ce soit de plus grave.) Ou les deux. Dans un accident, on peut perdre la mémoire, ça arrive. C'est un cas fréquent, aux urgences. Et quelquefois, on en parle même aux informations. Alors, c'est que ça doit être vrai.

– Ouais.

Le silence s'est installé. Nous marchions lentement. Une fois arrivée au bout de ma rue, j'ai fait un petit signe de tête vers chez moi. Hal a compris que je lui proposais de venir un moment. Il m'a fait comprendre qu'il voulait bien et on a continué à marcher tranquillement jusqu'à la maison.

– Bonjour, maman ! ai-je crié en ouvrant la porte. C'était un jour où elle rentrait tôt.

– Bonjour, Liv, a lancé ma mère depuis le premier étage.

– Tu veux pas m'aider à la retrouver ? m'a enfin demandé Hal, de sa petite voix de chenille, quand on a enlevé nos cartables dans l'entrée.

– Hal, mais comment veux-tu qu'on fasse ?

– Est-ce que tu veux m'aider, Olivia ? a-t-il répété. S'il te plaît.

Que vouliez-vous que je dise ? Il y a toujours « non », évidemment, mais comment peut-on dire à son meilleur ami qu'on n'a pas vraiment envie de l'aider à retrouver la personne qui compte le plus pour lui ? Je sais que j'ai tendance à exagérer, mais vous savez bien qu'une mère, pour tout le monde, c'est énorme, non ? Donc, je n'avais pas tellement le choix.

Je lui ai tendu mon peigne en disant :

— Tiens, arrange un peu tes cheveux. J'ai pas envie qu'on me voie avec quelqu'un qui a l'air d'avoir dormi dans un fossé.

— Alors, tu vas m'aider ? a-t-il répété du même ton suppliant, en se peignant.

— Je vais voir, ai-je répliqué exactement comme fait ma mère quand elle ne veut pas répondre à une question ; c'est une de ses phrases typiques qui me mettent hors de moi. Et le pire c'est que, par moments, j'ai l'impression de comprendre ma mère. Effectivement, il y a des questions auxquelles on ne *peut* pas répondre.

— Tu as essayé de la joindre ? ai-je demandé, tandis que nous allions dans la cuisine.

— Tu me prends pour un crétin ou quoi ?

— Non, mais ça me paraissait être une bonne idée.

Avait-il besoin d'être aussi agressif ?

— C'est bien ce que je dis. *Évidemment* que j'ai essayé de la joindre. Mais je n'y suis pas arrivé. Elle oublie tout le temps de recharger son téléphone. J'ai dû l'appeler vingt fois. D'abord, je n'avais pas de réponse, et ensuite j'ai eu chaque fois sa boîte vocale. Et maintenant, ça fait tout le temps booop, booop.

Sa façon de dire boop, ça donnait un son très triste, comme des pleurs. Ça doit faire un son très triste quand votre mère ne répond pas au téléphone pendant des jours et des jours. Je n'arrive pas à me l'imaginer.

— Oh ! ai-je fait.

Après ça, on s'est tus pendant un long moment, on n'a fait que réfléchir, réfléchir. Moi, en tout cas. Hal, lui, avait peut-être renoncé à cogiter. Il devait en avoir assez.

— Le problème, ai-je dit enfin, c'est que tu ne peux pas… qu'on ne peut pas faire ça tout seuls. Retrouver ta mère, je veux dire, et la ramener. Nous ne sommes que des enfants.

— Mais qu'est-ce qu'on peut faire alors ?

— Je crois qu'il te faut l'aide d'Alec.

— *Lui* ?

— Ouais. C'est un adulte. Si vous vous y mettez à deux, vous allez trouver un plan.

Hal a secoué la tête.

— Bon alors, ai-je repris, dans ce cas, il faut appeler la police.

Voilà où m'avait menée ma réflexion.

Hal n'a pas semblé choqué.

— Pour quoi faire ?

— Parce que ta mère est portée disparue, non ? Il faut le signaler à la police. C'est pas comme quand on avait perdu M. Denham à l'hôpital. Là, c'est pour de vrai.

Hal avait l'air abasourdi.

— Je ne peux pas dénoncer ma mère à la police ! Tu me prends pour qui ?

— Hal, il ne s'agit pas de la *dénoncer*. Mais de signaler sa disparition. C'est pas la même chose. Quand même, ça fait plusieurs jours qu'elle est partie.

— Mais… elle est partie en me laissant avec quelqu'un qui n'est même pas de ma famille,

Olivia. Tu crois que je peux dire ça ? Si ça se trouve, c'est illégal, elle va aller en prison, et moi, je serai placé.

Je n'avais pas pensé à ça.

— Je vais chercher du jus d'orange, ai-je proposé.

Nous avons bu du jus d'orange, après quoi j'ai dit :

— Écoute, Hal, il *faut* qu'on le signale. Elle est peut-être à l'hôpital ou quelque chose comme ça.

— Non ! s'est-il exclamé.

Et tout à coup, il m'est venu une idée. Ça m'arrive souvent ces temps-ci. Je dois être dans une période faste.

— Hal ! ai-je dit. On n'a pas besoin d'appeler la vraie police, on n'a qu'à appeler Sonya.

— Sonya ?

— Sonya O'Rourke, la garda, avec la queue-de-cheval. Elle trouvera la solution.

— Mais elle *est* de la police, Olivia.

— Je sais, mais on est copains avec elle. Ça change tout. Elle va nous dire ce qu'il y a de mieux à faire. Peut-être qu'elle aura même l'idée d'une piste qu'on pourrait suivre nous-mêmes.

Hal s'est légèrement animé. Il aimait bien Sonya, je le savais.

— Et en plus, elle nous a dit de l'appeler si jamais on avait de nouveau des ennuis, ai-je ajouté. Et là, c'est vraiment de gros ennuis.

— D'accord, a-t-il dit. Mais imagine que ce soit quelqu'un d'autre que Sonya qui décroche.

— Oh, on va pas appeler le commissariat. Elle t'a bien donné son numéro personnel ?

— Ah bon ?

— Rappelle-toi, elle l'a noté sur un bout de papier que tu as mis dans ta poche. Tu as toujours le même jean que dimanche ?

On aurait dit qu'il le portait depuis Noël. Hal a fouillé dans ses poches. En est sorti son portable, sur lequel était collé un morceau de chewing-gum couvert de petites peluches de tissu.

— Beurk, ai-je fait.

Il a enlevé le chewing-gum d'un air coupable, l'a jeté à la poubelle. Il a posé son téléphone sur la table et a replongé la main dans sa poche.

Cette fois, il en a sorti un stylo tout baveux et pelucheux, lui aussi, plus un paquet de chewing-gums pas entamé, et quelques bouts de ficelle, une poignée de pièces de monnaie, des cailloux et, enfin, un morceau de papier en boule. Un peu de sable était collé dessus.

J'ai attrapé le papier par un coin et l'ai secoué pour le débarrasser des débris des fonds de poche de Hal qui y adhéraient. Puis je l'ai déplié et posé sur la table pour bien le lisser.

Vu le séjour prolongé qu'il avait fait dans la poche de son jean, le papier était en très mauvais état et les lettres n'étaient pas très nettes, mais j'ai réussi à les déchiffrer.

– C'est une langue étrangère, ai-je dit. Il y a écrit : « Qing Ming Jie.»

J'ai regardé au verso. Pas de numéro de téléphone, pas d'adresse e-mail, rien. Juste ces mots mystérieux :

Qing Ming Jie

– Ça nous fait une belle jambe, ai-je lancé.

– Je me demande ce que c'est comme langue, a dit Hal.

– Il y a une Coréenne dans la classe de Larry, je pourrais lui demander. C'est peut-être du coréen.

– Je ne vois pas pourquoi, a rétorqué Hal. Ça pourrait aussi bien être du swahili, du lituanien ou n'importe quoi d'autre.

– D'accord, j'essayais juste de voir le bon côté des choses. On ne connaît ni Swahilis, ni Lituaniens, mais on connaît une Coréenne. De toute façon, ça sonne plus coréen que swahili.

Hal m'a regardée d'un drôle d'air. Il avait dû deviner que je bluffais. À l'école, on avait appris à dire «Joyeux Noël» en swahili, mais j'avais complètement oublié comment c'était, et j'aurais été bien incapable de dire à quoi ressemble le swahili. Si ça se trouve, ça se prononce comme le coréen, encore que ce soit peu probable.

Hal a pris le morceau de papier.

– Ce serait pas «King»? Ça a peut-être un rapport avec mon nom.

– Sauf que «King», ça s'écrit avec un «k».

— En swahili, ça pourrait très bien s'écrire comme ça. Je parie que c'est ça.

— En coréen aussi, ai-je répliqué.

— Moi, je dirais que c'est un indice, a déclaré Hal. (Au moins, pendant ces cinq minutes, il n'avait pas pensé à la disparition de sa mère.) Ou un message codé.

J'ai repris le papier pour l'examiner de près.

— Ce n'est pas «King», j'en suis sûre. Regardons les choses en face : ça ne nous donne aucune piste. On n'y comprend rien, on ne sait même pas ce que ça veut dire.

— Mais si, on a une piste, a insisté Hal. *Ça*, c'est une piste.

— Qui va nous mener où ? Sûrement pas jusqu'à ta...

J'allais dire «jusqu'à ta mère», quand je me suis rendu compte que ç'aurait été retourner le couteau dans la plaie. Mais c'était trop tard.

— Oui, je sais, a dit Hal. Tu as raison. Ça ne peut pas nous mener jusqu'à ma mère, puisqu'elle n'avait pas encore disparu quand Sonya l'a écrit.

Il avait subitement retrouvé son air abattu et

ses yeux tristes. J'avais envie de lui faire un câlin mais je ne pouvais pas, alors je lui ai tapoté le bras en disant :

— Il y a sûrement une solution, Hal. On va la retrouver, ta mère.

C'était n'importe quoi ! Nous ne savions absolument pas comment faire. Cette inscription sur le papier voulait peut-être dire quelque chose, mais ça ne nous donnait pas le moindre indice pour résoudre le mystère de la disparition de la mère de Hal.

Hal a reniflé un peu.

— Je vais rentrer chez moi. Sinon, Il va se demander ce que je fabrique.

— Oui, tu as raison. Il vaut mieux ne pas laisser le Furet dans l'incertitude.

Hal a soupiré avant de dire :

— Je regrette de l'avoir fait, le coup de l'hôpital. Je voudrais n'avoir jamais eu cette idée.

Je n'ai pas su quoi dire. J'aurais voulu être adulte pour trouver des paroles réconfortantes, mais tout ce qui me venait à l'esprit était soit stupide, soit comique. C'est ça le problème avec ce que j'ai dans la tête : c'est toujours des trucs idiots ou drôles.

Hal a dû se donner un coup de pied aux fesses pour partir. Au sens propre : en fait, il s'est frappé un talon avec la pointe de l'autre pied. Et apparemment, ça lui a fait mal.

— Au lieu de résoudre le problème, a-t-il ajouté, ça n'a fait que le compliquer.

16

Le lendemain matin, je me suis réveillée très tôt. Je ne sais pas ce qui m'a tirée du sommeil, mais la première chose à laquelle j'ai pensé, c'étaient des chaussures, des chaussures qui brillaient comme des marrons. Je me suis demandé d'où cela venait ; c'est curieux la façon dont les pensées s'enchaînent quand on est à la frontière entre le sommeil et le réveil. Aussitôt je me suis souvenue que c'était ce que Hal avait dit à Sonya : qu'il se rappelait les chaussures de son père. Je crois qu'il voulait parler du jour de sa mort, mais ça ne tenait pas tellement debout. Je veux dire par là qu'en général, quand on meurt, on n'a pas ses chaussures aux pieds. Sauf en cas d'accident, évidemment. Ou de crise cardiaque.

Mais est-ce que celui qui trouve le mort remarque ses chaussures ? Si quelqu'un meurt sous vos yeux, ce n'est pas ses pieds que vous regardez, j'imagine. Sauf que, quand on a cinq ans, on est plus près des pieds que ne le sont les adultes. Elle n'était tout de même pas très convaincante, cette explication.

Pauvre Hal, me suis-je dit, comme ma mère répète tout le temps. Mais moi, je le pensais vraiment. Jusqu'alors, je n'avais jamais considéré la disparition du père de Hal comme un problème. C'était comme ça, point à la ligne, surtout que ça ne datait pas d'hier. Mais tout à coup je me rendais compte que ma mère avait raison : c'était en effet affreusement triste pour Hal, et c'est pour ça qu'elle disait tout le temps « Pauvre Hal ». Voilà à quoi cette histoire de chaussures m'avait fait penser.

Ensuite, je me suis souvenue que la mère de Hal n'était toujours pas réapparue, et je suis restée un long moment allongée, à penser à ça. Après, je me suis demandé pourquoi Alec avait un visage aussi luisant. Et s'il ne pouvait pas trouver le moyen de corriger ça, mais il aurait sûrement fallu un produit de maquillage, et Alec n'aurait certainement pas été d'accord. Du coup, il m'a fait pitié. Non seulement il avait le visage luisant, mais ce qui se passait avec la mère de Hal devait être terrible pour lui aussi. Et par-dessus le marché, il était obligé de s'occuper de Hal, maintenant.

Ce que je me suis dit ensuite, c'est qu'ils devaient absolument appeler la police. Qu'ils n'aient pas voulu attirer d'ennuis à Trudy et tout ça, ça se comprenait, mais quand même, il y avait des limites, et, selon moi, le fait qu'elle eût disparu depuis cinq jours était vraiment limite.

Ensuite, j'ai réfléchi – mais sans le vouloir, cette pensée m'a traversé l'esprit sous la forme d'une phrase toute faite : Eh bien, s'ils n'appellent pas la police, moi je vais le faire.

Moi ? me suis-je dit aussitôt. J'entendais ma propre voix dans ma tête. Elle était perçante, terrorisée. Qu'est-ce que j'ai à voir là-dedans ? J'essayais de me raisonner. Non, non, ce n'est pas mon problème. Je ne vais pas m'en mêler.

Je me suis retournée dans mon lit pour essayer de me rendormir. Mais cette pensée était bel et bien installée. Impossible de la chasser. J'allais devoir passer à l'acte, je le savais.

J'ai fini par me lever. Il était presque six heures. Avec un peu de chance, Sonya serait dans la même équipe que le dimanche précédent, l'équipe du matin. Peut-être y était-elle déjà, si elle devait finir son service à l'heure du déjeuner.

Après avoir enfilé ma robe de chambre, je suis descendue dans l'entrée, j'ai pris l'annuaire et j'ai cherché le commissariat de Balnamara dans les pages vertes où se trouvent tous les trucs administratifs. Ça m'a pris du temps, mais j'ai trouvé. Ensuite j'ai composé le numéro sur le combiné du téléphone sans fil avant de remonter en vitesse avec le téléphone qui sonnait déjà. J'étais de retour dans mon lit quand ça a décroché.

— Non, a répondu une voix courroucée, le brigadier O'Rourke n'est pas de service aujourd'hui.

— Ah bon ? Quand est-ce qu'elle sera là ?

— Je n'ai pas à vous donner ce genre d'information, a répondu le policier grincheux. Mais je vous écoute. Sauf si c'est personnel. À ce moment-là, il faudra l'appeler chez elle. C'est personnel ?

— Euh, oui.

J'ai dit que c'était personnel parce qu'il s'agissait d'une affaire plus ou moins privée et non parce que j'avais l'intention de l'inviter à une soirée, mais le policier ne m'a pas laissé le temps de préciser.

— Dans ce cas, a-t-il répliqué, débrouillez-vous. J'ai autre chose à faire que de passer mon temps avec vous au téléphone. Je suis en service. Au revoir.

Il avait raccroché.

— Au revoir, ai-je dit machinalement, même s'il ne m'entendait plus.

Vraiment, on peut dire que les policiers sont très soucieux de leur temps.

17

Le téléphone a bondi dans ma main. Enfin, c'est l'impression que j'ai eue. Je ne crois pas qu'il ait vraiment bondi, mais en tout cas il sonnait quand je me suis assise dans mon lit, le combiné à la main.

Si ça se trouve, il a eu des remords, ai-je tout de suite pensé. Le policier à cran. Il regrette et me rappelle pour s'excuser. Au commissariat, ils doivent avoir un appareil avec un petit écran qui affiche le numéro de celui qui téléphone, de façon à pouvoir le rappeler. Notre téléphone à nous n'a pas ça. On n'est pas du tout à la pointe de la technologie dans notre famille. Mes parents en sont très fiers ; moi, je trouve ça franchement nul. Si on a un téléphone sans fil, c'est que le vieux téléphone était mort et que ça coûtait moins cher d'acheter un sans-fil pour le remplacer.

Mais ce n'était pas le policier. C'était Hal.

– Hal, ai-je fait dans un souffle. On est au milieu de la nuit!

– Pas vraiment. On est à l'heure prune. Il doit être six heures.

– Ça a le goût de prune aussi?

– Non, de menthe, a précisé Hal. Je suis désolé si je t'ai réveillée.

Je me suis demandé si six heures du soir avait la même couleur et le même goût que six heures du matin, mais je n'ai pas eu le temps de lui poser la question.

– Je voulais juste te dire un truc, a continué Hal. Alec a cherché les mots, tu sais, qing-ming-jie, il a cherché sur l'ordinateur, enfin, sur Internet. Il est inso-maniaque.

Alec! C'était la première fois que Hal appelait son beau-père par son nom. Mais mon attention s'est focalisée sur l'autre chose qu'il venait de dire à propos d'Alec.

– Inso *quoi*?

— Maniaque, a-t-il répété. Inso-maniaque.

— Ah ! Tu veux dire insomniaque.

— C'est ça, a confirmé Hal. C'est ce qu'il m'a dit. Alors il se réveille très tôt et va surfer. On a l'adsl, je t'avais pas dit ?

— Hal, est-ce que tu sais qu'il est six heures *du matin* ?

Il n'a pas répondu ; il était parti sur sa lancée :

— En fait, ce n'est pas « quingue » ni « king ». C'est « ching ». Ça se prononce comme ça. Il m'a réveillé pour me montrer le site qu'il a trouvé, il y a tout, là-dessus. C'est superintéressant.

— Ching ? ai-je répété. *Ching* ! Oh, mais…

Quelque chose palpitait dans mon cerveau. Des pièces de puzzle trouvaient leur place. Je ne savais pas de quoi il s'agissait, mais mes neurones travaillaient dur.

— Hal ! Ça doit être… Hal, c'est du chinois, non ?

— Exact, a-t-il dit. (Il semblait déçu que j'aie trouvé ça toute seule.) Comment t'as deviné ?

— C'est la fameuse fête, non ? ai-je suggéré, en voyant enfin les connexions opérées par mon cerveau. Ce truc, en Chine, avec des cerfs-volants, tu sais ?

— Oh ! a dit Hal d'une voix éteinte. Tu le savais, alors. Qing Ming Jie, oui, la fête de la Pure Clarté. Comment tu savais ?

Je ne savais pas, bien sûr ; c'était le seul truc chinois dont j'avais entendu parler, à part Pékin, les dragons et les rouleaux de printemps. De toute façon, la personne qui l'avait évoqué était Sonya, celle-là même qui avait écrit ces mots sur le bout de papier, donc la connexion entre tous ces éléments s'était faite toute seule.

Je n'ai rien dit de tout ça à Hal. J'ai simplement demandé :

— Et alors ?

— Alors, c'est ce que Sonya cherchait à me dire ; elle voulait que je connaisse cette fête.

— D'accord, mais qu'est-ce qu'elle a de spécial, cette fête ?

— Aucune idée, a avoué Hal. Mais j'arrête pas d'y penser.

— Mmm.

Les yeux me picotaient, tellement j'avais

sommeil. Je n'ai pas l'habitude d'être en piste à six heures du matin.

— C'est trop bien ! expliquait Hal, à présent. Il y a plein d'informations, sur le site. On l'appelle aussi le jour du Balayage des Tombes.

— Qu'est-ce qui s'appelle comme ça ?

— La fête de la Pure Clarté.

— Le balayage des tombes ! Comment ça ?

— Les gens vont sur les tombes pour les balayer.

Il a perdu la boule, voilà ce que j'ai pensé. Il ne sait plus où il en est, à force. Je le trouvais déjà bizarre, avant, mais alors là…

— Pourquoi ?

— Ben… pour les nettoyer, sûrement. C'est un peu comme Halloween, je crois, mais ça se passe au printemps. Il y a aussi un rapport avec les morts.

Les morts, formidable ! me suis-je dit. Comme si Hal n'avait pas assez de problèmes comme ça.

— C'est peut-être la raison pour laquelle les sorcières ont des balais, ai-je suggéré. Pour balayer les tombes.

– Ça n'a rien de lugubre, a rétorqué Hal. Ça se passe au printemps. C'est gai.

Eh bien, si pour Hal, balayer les tombes était le summum de la gaieté, il était encore plus secoué que je le pensais. Mais le plus bizarre était la façon dont il parlait désormais d'Alec, comme s'ils étaient les meilleurs amis du monde. Cet homme auquel il était incapable de dire, une semaine plus tôt, « Passe-moi le sel, s'il te plaît ».

– Dis-moi, Hal, comment ça se passe avec Alec, ces jours-ci ?

– Euh, ben, j'sais pas, je…

– Bon, je vais poser la question autrement : tu lui as mis des cailloux dans ses chaussures, récemment ?

– Mmm, non, non. Ça… ça ne m'est pas venu à l'idée, je crois.

– Très bien, ai-je répondu. Est-ce que… je veux dire… il s'occupe bien de toi ?

– Ben, oui, je crois que oui. Il fait la cuisine, tu sais. Et la vaisselle. Et tu sais pourquoi je ne trouvais pas mon sweat-shirt d'école ? Parce qu'il l'avait lavé.

— Ah ! C'est pour ça que tu avais mis le bleu.

— Ouais, il a remarqué qu'il y avait une tache de dentifrice dessus, alors il l'a mis au sale, croyant que j'en avais un de rechange. Il est sec maintenant. Je vais pouvoir le mettre aujourd'hui.

Tiens, tiens, me suis-je dit. Alec a *remarqué* la tache de dentifrice sur le sweat-shirt de Hal et il l'a *lavé*. De plus en plus curieux. Et Hal avait dû montrer à Alec ce bout de papier où étaient écrits les mots en chinois, le précieux message de Sonya. Apparemment, ils étaient copains, non ? Et puis Alec avait pris la peine de chercher pour lui. Il avait réveillé Hal à l'aube pour lui montrer ce qu'il avait trouvé sur Internet. Ils s'entendaient donc comme larrons en foire.

Juste après, une autre idée m'a traversé l'esprit. Un minuscule soupçon. À propos de la mère de Hal. Tout ça — était-ce possible ? — n'aurait-il pas été *monté de toutes pièces* ? Non, quand même pas ! Pourtant… Il fallait que j'y réfléchisse tranquillement, mais je ne voyais pas d'autre explication. Plutôt que d'appeler la police tout de suite, j'allais attendre la suite des événements.

— On se voit tout à l'heure à l'école, Hal ? ai-je dit. Là, il faut vraiment que je dorme encore un peu avant que le réveil sonne.

— Ouais, a répondu Hal. Désolé de t'avoir réveillée. Mais j'étais tellement excité. À tout à l'heure.

18

Le tatouage de Larry commençait à s'effacer.
Je m'en suis rendu compte au petit déjeuner. J'ai
d'abord pensé que j'étais mal réveillée, vu la nuit
que j'avais passée, mais j'ai eu beau me frotter les
yeux et cligner des paupières plusieurs fois, il me
paraissait toujours aussi flou.

– Larry ! ai-je crié. Ton tatouage… il dispa-
raît !

Il a ricané.

Larry avait changé, depuis son séjour à Paris.
Il se vexait moins facilement. Il était peut-être
amoureux. Je ne demandais que ça, moi : je voudrais tellement qu'il s'amourache de quelqu'un,
pour voir ce que ça fait quand un garçon est

amoureux. Comme ça, je saurai quels signes je dois guetter chez un garçon pour voir s'il m'aime. Quand je serai plus grande, bien sûr. Je ne me sens pas encore prête à être aimée.

Maman s'affairait devant l'évier. J'ai vu son dos se raidir, mais elle ne s'est pas retournée.

— Un tatouage ne *peut* pas s'effacer, ai-je affirmé. Quand il est là, sous ta peau, c'est pour la vie. Tu t'es fait avoir, Larry ; c'est un faux. Ils t'ont roulé ! Quel crétin tu fais !

Là, maman s'est retournée à demi et a levé une main pleine de mousse, tandis que l'autre restait dans l'évier.

— Ce n'est pas un faux, a rétorqué Larry. C'est un tatouage au mehendi. Il est fait pour disparaître.

— Me-hen quoi ? a dit maman. Qu'est-ce que c'est que ça ?

Après s'être essuyé les mains, elle est venue nous rejoindre à table.

— C'est un truc indien, a expliqué Larry. Il avait remonté ses manches et examinait le dessin qui s'estompait. On fait ça avec du henné.

— Du henné? Comme pour les cheveux? ai-je demandé.

— Oui. Ils sortent ce truc visqueux d'une espèce de sac de congélation et ça durcit comme un glaçage, ensuite ils raclent pour l'enlever. Il y a une boutique spécialisée à Paris, et toutes les filles se faisaient tatouer des feuilles et des fleurs partout. C'est surtout pour les filles, mais elles m'ont poussé à les imiter et je l'ai fait pour rigoler. C'est temporaire, maman.

— Ah bon? a lâché maman en se laissant tomber sur une chaise.

— Si tu étais un dessin au mehendi, maman, tu serais plutôt une fleur ou un animal? lui ai-je demandé.

Elle m'a lancé un regard furibond. J'essayais juste de détendre l'atmosphère, moi. Ma parole, on ne peut plus rien dire, dans cette maison, ces temps-ci.

— Moi, un animal, ai-je marmonné entre mes dents. Un *dragon*.

— Mais enfin, Larry, pourquoi m'avoir laissé croire qu'il s'agissait d'un vrai tatouage? (Maman gémissait presque.) Ah, on peut dire que tu m'en fais voir de toutes les couleurs, toi ! Elle a plongé sa tête dans ses mains, comme si elle avait les enfants les plus abominables du monde. Elle en rajoute, elle aussi, ne serait-ce que dans ses gestes.

— Je n'ai rien dit, a protesté Larry. C'est toi qui t'es mise à hurler. Tu as piqué ta crise, sans me laisser le temps de dire quoi que ce soit.

— Mais tu aurais pu m'expliquer, quand même !

— Eh ben, maintenant, tu as l'explication, a conclu Larry.

— Et il n'y a pas de méridienne dans la maison, ai-je ajouté.

Larry a gloussé. Ma mère a froncé les sourcils.

— Vous deux... a-t-elle commencé, mais elle n'a pas achevé sa phrase à propos de nous deux.

Subitement, j'ai eu une inspiration. Comment n'avais-je pas eu cette idée plus tôt ? C'était l'évidence même et je ne l'avais pas vue. J'avais là, assise en face de moi, Mme Psychologie, et je n'avais même pas pensé à exploiter sa grande sagesse.

— Maman, ai-je dit, j'ai besoin de ton avis.

Elle m'a regardé, les yeux écarquillés, comme si j'avais ânonné : « Maman, derrière toi il y a un gros éléphant rose avec des oreilles vertes qui s'apprête à manger ton tablier. »

— Tu veux mon avis ? a-t-elle articulé, étonnée. Mais, bien sûr, Olivia, je t'écoute.

Je devrais lui demander conseil plus souvent, je me suis dit. Ça lui fait tellement plaisir.

— C'est au sujet de Hal.

— Ah, ce pauvre Hal, a répondu maman, comme je m'y attendais. Eh bien ?

Alors, j'ai raconté. Nous avons eu une longue conversation, comme ça nous arrive quelquefois. Une très longue conversation.

19

Je n'étais pas pressée de voir Hal. J'allais devoir lui dire la vérité ou au moins l'amener à la découvrir par lui-même. Ce ne serait pas facile.

Il avait son sweat-shirt d'école, ce jour-là, et semblait presque joyeux. Ça faisait bien longtemps que je ne l'avais pas vu avec les joues aussi roses et rebondies. Comment allais-je lui annoncer ce qui se passait vraiment ?

À la récréation, Hal a claironné :

— Ça y est, je lui ai dit.

— *Quoi* ? À qui tu as dit quoi ? Enfin... qu'est-ce que t'as dit à qui ?

— À Alec. Pour samedi. Je me sens bien mieux depuis que j'ai avoué.

Ça m'a redonné du courage. Moi aussi, je serai soulagée dans une minute, ai-je pensé. C'était juste un mauvais moment à passer. Après, tout irait mieux. Ou plus mal. C'était bien le problème. Ça pouvait aussi aller beaucoup plus mal.

— Comment ça, pour samedi ? ai-je demandé évasivement.

— Ben, la morgue, les travaux de peinture et tout. Je lui ai avoué que c'était nous.

— Et comment il a réagi ?

— Il a rigolé, a répondu Hal d'un ton triomphant, en frappant un grand coup sur la table, du plat de la main. (Comme il pleuvait, nous étions restés dans la salle de classe pour la récréation.) Il a ri, mais ri ! Il m'a dit que j'étais un farceur de première. Que c'était le canular le plus marrant qu'on lui ait fait depuis longtemps. Que ça lui rappelait le bon vieux temps, le temps où les gosses avaient du cran.

— Alors tu ne lui as pas expliqué que tu l'avais fait exprès, pour provoquer une dispute entre ta mère et lui ?

Il valait mieux mentionner sa mère avant qu'il ne parte sur une autre voie.

— Eh non ! J'ai pensé que c'était pas la peine d'aller aussi loin.

— Et maintenant, vous êtes copains, Alec et toi ? Alors ça, ce serait vraiment super. Ça voudrait dire que le plan a marché, au moins.

— Copains... je n'irais pas jusque-là, a tempéré Hal, prudent.

— Mais vous n'êtes pas ennemis ?

— Non, je crois que non.

— Très bien, ai-je soupiré, soulagée. Maintenant, tu n'as plus qu'à trouver le moyen de faire savoir à ta mère que tout s'est arrangé entre Alec et toi, et je suis sûre qu'elle reviendra en courant, toute contente, tu ne crois pas ?

— Comment ça... lui faire savoir... revenir en courant ? Qu'est-ce que tu racontes, Olivia ? Je te rappelle qu'elle a *disparu* !

Je me suis mordu les lèvres. Il allait falloir que je me lance.

— Hal, regarde les choses en face. Réfléchis. Tu ne peux pas croire qu'elle est partie parce qu'elle était furieuse qu'Alec ne l'accompagne pas au golf. Ça ne tient pas debout !

(Ma mère m'avait tenu exactement ce raisonnement au petit déjeuner, mais c'était aussi celui que je m'étais fait quand le soupçon m'avait effleurée.)

— Euh...

— Hal, sur une échelle de un à dix, quelle est la probabilité qu'une femme quitte subitement sa maison en laissant son enfant à une personne-qui-n'est-pas-le-père et ne donne pas signe de vie pendant *cinq jours* entiers, simplement parce que la personne-qui-n'est-pas-le-père de son enfant ne l'a pas accompagnée à un tournoi de golf ? Enfin, est-ce que c'est un comportement sensé ?

— Euh... a-t-il répété. Dit comme ça, évidemment...

— Sur une échelle de un à dix, Hal, combien ? Compte tenu du fait que la femme en question est ta mère et que, soyons clairs, elle n'est pas connue pour avoir des comportements irresponsables. Elle n'est pas alcoolique ? Ni complètement cinglée ?

— Mais elle a pu avoir un accident, a avancé Hal. Elle a pu perdre la mémoire. Elle a pu se faire enlever. Ou arrêter. Elle est peut-être malade.

— Sur une échelle de un à dix, Hal, ai-je répété fermement.

Il a craqué.

— Mmm, je dirais… deux?

— D'accord, alors quand tu as une probabilité de deux sur dix pour quoi que ce soit, Hal, qu'est-ce que tu te dis?

Il se tortillait un peu sur sa chaise, manifestement sceptique, mais je voyais bien qu'il suivait mon raisonnement.

— Je me dis que… il y a peut-être une autre explication?

Ça n'avait pas encore fait tilt, mais il n'était pas loin de basculer, il perdait pied.

— Voilà qui devient intéressant, ai-je commenté. Alors, écoute et réfléchis bien à ça : tu crois que ton beau-père resterait là, sereinement, pendant plusieurs jours, sans chercher à savoir où est ta mère, si elle avait vraiment disparu? Tu crois qu'il se contenterait de laver tes sweat-shirts et de faire des gaufres, sans prendre la peine de déclarer sa disparition ? D'autant plus qu'il serait le premier que l'on soupçonnerait de meurtre, si elle ne revenait pas.

— De *meurtre* ? a glapi Hal. Il était blanc comme un linge.

— Elle n'a pas été assassinée, Hal. Ce n'est pas ce que j'ai voulu dire. Je disais seulement *si*...

— Eh ben, qu'est-ce qui se passe, alors ? a-t-il demandé.

Je me suis penchée pour lui chuchoter à l'oreille :

— C'est un complot, Hal.

— Comment ça ? Elle a été kidnappée par un... un commando ?

— Hal, tu as trop d'imagination. Bien sûr que non. Le complot, c'est eux deux qui l'ont monté. Alec et Trudy.

— Alec et ma mère ? Mais quelle sorte de complot ?

Là, ça devenait délicat.

— Un complot pour ramener quelqu'un à la raison.

— Qui ? a demandé Hal.

— Tu sais bien qui, ai-je poursuivi.

— Moi ? a articulé Hal en pointant son index sur sa poitrine, comme s'il pensait que je ne savais pas qui était « moi », en l'occurrence.

Il a appuyé sur son sternum en tournant son doigt, comme pour s'assurer qu'il était vraiment là.

— Oui, toi, ai-je dit en pointant moi aussi le doigt sur sa poitrine.

La cloche a sonné.

— Mais c'est… a balbutié Hal.

— Hal ! a ordonné Kate en lui donnant une tape sur l'épaule. La cloche a sonné. Fini de bavarder. Range ta boîte à sandwichs. Assieds-toi. Enfin, je veux dire, assieds-toi bien. Sors tes livres. Sois attentif.

— … *monstrueux*, a fini par dire Hal, dans un murmure.

20

Moi qui m'imaginais qu'il serait enchanté de cette nouvelle ! Mais il est vrai que Hal n'est pas tout à fait normal. Je pensais qu'il allait me sauter au cou, comme le type dans la Bible, et me dire un truc du genre : « Merci, Olivia, de m'avoir montré la vérité. » Mais il y a des gens qui ne sont jamais contents.

Toute la journée, il a gardé les sourcils froncés, et je voyais bien qu'il n'écoutait pas un traître mot de ce que disait Kate. À la fin des cours, il est sorti d'un pas lourd sans même m'attendre, alors qu'il le fait toujours.

— Hal, attends-moi ! lui ai-je crié.

Il m'a attendue, mais sans se retourner, ni me sourire, ni me faire un petit signe. Il est resté planté là, et quand je l'ai rattrapé, il s'est remis à marcher à grandes enjambées.

— Ne te trompe pas de cible, Hal, lui ai-je lancé hors d'haleine, en trottinant derrière lui. Ce n'est quand même pas ma faute si ta mère a pris des mesures extrêmes pour te faire entendre raison.

— Je réfléchis, c'est tout.

— Tu as passé toute la journée à réfléchir, ai-je rétorqué, et si violemment que j'ai cru entendre tes neurones se télescoper dans ton cerveau.

Silence.

— Hal, si tu étais une tempête sous un crâne, tu serais plutôt un cyclone ou une tornade ?

— Qu'est-ce que tu racontes, Olivia ?

— La tempête sous un crâne, ai-je expliqué. J'essaie d'imaginer : ça souffle en tourbillon ou en rafales ?

— Mais… c'est pas ce genre de tempête, a dit Hal. C'est juste une métaphore.

— Ah, là, bravo, Hal.

Il m'écoute donc, parfois, même s'il n'en a pas l'air.

— En tout cas, mon crâne déborde de pensées, a fait remarquer Hal.

— Des pensées positives ?

— Confuses.

— Mais positives malgré tout ? ai-je insisté.

Quand même : je venais de lui dire plus ou moins explicitement que sa mère n'était pas en train de se faire boulotter par des rats au fond d'un fossé, au bord de la route, qu'elle ne s'était pas non plus enfuie avec le facteur. Qu'elle devait être, je ne sais pas, moi, à Clondalkin, peut-être, ou à Nobber, enfin à quelques heures de voiture de chez elle, en attendant que les choses s'arrangent entre Hal et Alec. Alors seulement elle pourrait revenir. Alors seulement ils pourraient commencer à avoir une vraie vie de famille et plus personne n'essaierait de faire arrêter l'autre un samedi matin. C'est ce que ma mère avait dit, en tout cas, et elle est bien placée pour le savoir, puisque…

— Olivia !

Hal s'est subitement arrêté et s'est tourné vers moi. J'ai failli lui rentrer dedans.

— Quoi ?

— La tempête sous mon crâne souffle toujours. Écoute, assieds-toi une minute.

Il s'est assis là où il était, dans la rue, sur le trottoir plus exactement, les pieds dans le caniveau. Puis il a soulevé ses fesses pour glisser son cartable dessous, en guise de coussin, et passé ses bras autour de ses genoux réunis.

Je n'avais pas spécialement envie de m'asseoir dans le caniveau, mais j'ai, moi aussi, enlevé mon cartable et me suis assise dessus. Pas très moelleux, comme coussin, un cartable.

— Oui ? ai-je lâché pour savoir la suite.

— Ta théorie, là, sur ma mère qui n'a pas vraiment disparu…

— Ce n'est pas une théorie, Hal, c'est la vérité.

— Comment tu peux dire ça ? Comment tu le sais ?

— Parce que…

Je me demandais s'il était prêt à entendre ça. Mais je me suis lancée, je l'ai dit quand même. Il fallait qu'il le sache. Je ne pouvais pas continuer à rester dans le vague. Ce n'était pas sympa.

— C'est ma mère qui me l'a appris.

— Ah oui ? Et comment ta mère sait-elle ce que fait la mienne ?

— Elles travaillent ensemble, Hal.

— Et alors ?

— Hal... ta mère... est venue travailler tous les jours, cette semaine. Ma mère me l'a dit.

Hal a sauté sur son cartable comme s'il était assis sur des braises et m'a dévisagée, les yeux écarquillés. Ensuite, il s'est éloigné, les mains dans les poches. Puis il est revenu sur ses pas. Il s'est mis à battre l'air de ses bras, comme un moulin à vent qui s'emballe. Enfin, il s'est rassis à côté de moi. On aurait dit qu'il allait exploser, mais je ne savais pas si c'était parce qu'il était fou de joie de savoir sa mère vivante, ou fou de colère après elle, qui lui avait joué ce tour, ou après moi — encore que je ne voyais pas ce que j'avais fait de mal.

— Répète-moi ça, a marmonné Hal entre ses dents.

— Ma mère dit... m'a dit ce matin au petit déjeuner... que ta mère n'a évidemment pas disparu. Elle le *sait* parce que... parce que... cette semaine, ta mère est allée travailler tous les jours mais elle n'a pas précisé qu'elle avait quitté la maison. Tout ça est une espèce de grande mise en scène, Hal.

J'avais prononcé cette dernière phrase très bas, comme on marche sur la pointe des pieds quand quelqu'un est malade et très énervé. Pour ne pas envenimer les choses. Mais au fond, c'était tout de même une bonne nouvelle. Sa mère était vivante et elle allait peut-être rentrer à la maison.

— Mais elle n'était pas à la maison, a insisté Hal.

Il n'arrivait pas à réaliser.

— Manifestement non, ai-je répliqué. Je ne pense pas qu'elle se cache sous l'escalier jusqu'à ce que tu ailles te coucher le soir et qu'elle sorte en catimini pour se faire un sandwich.

Là, Hal a eu un pauvre sourire. Puis il a froncé les sourcils :

— Pourquoi tu ne me l'as pas dit avant, Olivia ?

— J'ai essayé. Mais c'est difficile de trouver les mots justes. Et puis c'est ce matin que j'ai appris ça, quand j'en ai parlé à ma mère.

Il a posé ses coudes sur ses genoux, sa tête dans les mains, et s'est mis à se balancer d'avant en arrière. Je me demandais s'il pleurait. J'ai regardé autour de nous. Il n'y avait personne, alors, avec précaution, j'ai avancé une main et je lui ai tapoté le dos. Il a continué à se balancer et moi à lui tapoter le dos. Au bout d'un moment, il a cessé de se balancer et moi de le tapoter, mais j'ai laissé ma main là, entre ses omoplates. Un instant plus tard, il se tournait vers moi et, sans un mot, posait sa tête sur mon épaule, comme ces grands labradors un peu mollassons. De mon autre main, je me suis mise à lui caresser les cheveux, et on est restés comme ça un petit moment, et c'était vraiment bien.

Ensuite, il a soulevé un peu la tête pour me regarder, et je me suis dit que ça ne pouvait pas nuire de lui adresser un petit sourire, alors c'est ce que j'ai fait. Hal a poussé un grand soupir et, sous ma main, j'ai senti ce souffle lui traverser le corps.

– Si tu étais une amie, Olivia, a-t-il murmuré, tu serais ma meilleure amie ou juste une copine ?

— Je serais quelqu'un qui t'aime, Hal, ai-je répondu.

Qu'est-ce qui m'a fait dire ça ? Je n'en sais rien. À peine avais-je prononcé ces mots que j'ai eu envie de rentrer sous terre, tellement j'étais gênée. Je me suis sentie rougir jusqu'aux oreilles. Mais Hal a juste souri et dit : «T'es trop forte, Olivia.» Du coup, j'ai su qu'il n'y avait pas de problème, qu'il n'avait pas pensé que je voulais le demander en mariage, ou quelque chose comme ça.

Finalement, il s'est écarté de moi, nous nous sommes levés, chacun a remis son cartable sur son dos et nous sommes repartis, côte à côte.

— Qu'est-ce que tu vas faire maintenant, Hal ? lui ai-je demandé, arrivée devant chez moi. Tu vas dire à Alec : «Bas les masques ! Je sais qu'elle n'est pas perdue, tu peux lui dire de revenir. On fait la paix, etc. ?»

— Euh, quelque chose comme ça, oui, peut-être. Il faut que je réfléchisse. Je te téléphonerai plus tard.

— OK, Hal, ai-je dit.

Je me demandais s'il attendait que je lui donne un petit baiser, ou quoi, ce qui n'était pas du tout dans mes projets immédiats, mais en fait ce n'était pas non plus dans les siens. Je me suis donc contentée de lui prendre la main que j'ai gardée quelques secondes dans la mienne en la serrant un tout petit peu ; il a serré la mienne en retour et j'ai compris que tout allait bien.

– À bientôt, Hal, ai-je dit avant de pousser la porte de chez moi.

21

Hal n'a pas téléphoné. Il a préféré passer, avec son fameux cerf-volant, pour voir si je ne voulais pas l'accompagner à la Rive basse, à la plage. Nous finissions tout juste de dîner. Maman lui a proposé de s'asseoir et de manger une coupe de glace avec nous.

— Je peux, papa ? ai-je demandé.

Je voulais parler d'aller à la plage. Il a dit non, pas un jour de semaine, pas aussi tard, mais j'ai dit « pa-pa » en lui écrasant le pied pour qu'il comprenne le message : c'était un jour particulier dans la vie de Hal.

Évidemment, il n'a pas pigé, mais maman si, et elle a renchéri.

— Oh, Paul ! Je crois qu'on peut dire oui, exceptionnellement.

Mon père s'est brusquement tourné vers elle, visiblement choqué qu'elle s'écarte de leurs règles d'éducation, mais à ce moment, ma mère s'est mise à rouler des yeux et à jouer des sourcils. Je dois dire que mes parents sont vraiment sympas. Bon, ils pourraient s'améliorer encore, mais dans une classe de parents, ils seraient dans les meilleurs.

Tout à coup, il y a eu un bruit épouvantable, comme un chat coincé dans une machine à laver. Remarquez, je n'ai jamais entendu un chat coincé dans une machine à laver, mais j'imagine que ça ferait ce bruit-là.

— Qu'est-ce que c'est que ça ? ai-je crié.

— C'est mon téléphone, a répondu Hal en le prenant sur la table, où il l'avait posé. (On aurait dit que l'appareil, pris d'une crise d'épilepsie, allait sauter par terre.) Il est sur vibreur.

— On dirait un…

Mais je n'ai pas pu lui parler du chat coincé dans la machine à laver. Déjà, il hurlait :

— Oh, *maman*! Oh, bonjour, bonjour maman chérie!

Il m'a fait un signe et, en articulant silencieusement, il m'a dit quelque chose que je n'ai pas compris. Ensuite, il y a eu ces grosses larmes toutes rondes qui ont coulé sur ses joues.

— OK, a-t-il sangloté, OK, OK, OK. Oui. OK. Oui. Super. OK.

Enfin, il a cessé d'acquiescer, de dire oui et super et OK, et il a appuyé sur la touche rouge.

— Elle est vivante, a-t-il annoncé avec un grand sourire.

— Je sais, je te l'avais dit. Tu ne m'as pas crue?

— Si, si, mais d'entendre sa voix…

Il s'est remis à sangloter.

Papa n'y comprenait rien, le pauvre. Or, il déteste ne pas savoir ce qui se passe. Ça l'agace. Il s'est mis à chantonner, comme il fait toujours dans ces cas-là.

— Bon! Je suis bien contente qu'elle soit en vie, ai-je fait remarquer. Je n'aurais pas tellement aimé qu'elle te téléphone d'Outre-Tombe.

Larry a émis un petit bruit étranglé, d'où j'ai déduit qu'il essayait de ne pas rire, mais sans grand succès.

Hal s'est essuyé le visage d'un revers de manche. J'avais fait celle qui n'avait pas remarqué qu'il pleurait.

— Elle rentre ce soir, a-t-il ajouté, puis, se tournant vers mon père :

— Est-ce que vous croyez que vous pourriez laisser Olivia venir avec moi un petit moment ? Je la ramènerai. Avant la tombée de la nuit. S'il vous plaît.

Ma mère faisait un festival de grimaces, avec ses oreilles, son nez, tout, et en plus, elle hochait vigoureusement la tête, si bien que mon père a cessé de fredonner et a dit, en soupirant :

— Bon d'accord, mais tâche d'être rentrée à neuf heures trente au plus tard.

Nous avons pris le cerf-volant et sommes partis sans plus attendre.

22

Alors, qu'est-ce qui s'est passé ? ai-je demandé, une fois que nous étions en route.

Nous allions à la plage à pied, parce que faire de la bicyclette avec le cerf-volant, c'est vraiment impossible.

— Après l'école, tu veux dire ? a dit Hal. Je suis rentré chez moi.

— Oui, et après ?

— Alec est rentré du travail, comme d'habitude.

— Et alors ?

— Et alors, je lui ai dit ce que tu m'as dit.

— Explique-moi mot pour mot ce que tu lui as dit, Hal, ai-je ordonné.

Je voulais avoir une idée tout à fait claire de ce qui s'était passé.

— « Écoute, Alec, je crois qu'on peut conclure que l'expérience a réussi. Il est temps que tu appelles ma mère pour lui annoncer que ce serait bien qu'elle revienne à la maison. Je suis sûr que tu sais où elle est. »

J'ai failli m'étrangler.

— Il était étonné, non ?

— Je ne sais pas, a répliqué Hal, parce que j'ai lâché ça vite fait, par-dessus mon épaule, en quittant la pièce. Je n'ai rien dit de plus et il ne m'a jamais répondu.

— Mais il a dû le faire ? Puisque ta mère vient de t'appeler.

— Oui, il l'a sûrement fait.

— Alors pourquoi aller à la plage ? Tu ne veux pas être là quand ta mère va rentrer ? Tu dois avoir drôlement hâte de la voir.

— Mmm, a avoué Hal. C'est comme ça : quand j'ai un truc à faire, il faut que je m'y mette tout de suite. Elle sera à la maison quand je vais rentrer. Et puis, c'est *elle* qui doit avoir hâte de *me* voir, non ?

— Ah ça, c'est certain, ai-je confirmé.

— Mais c'était vache, ce qu'elle m'a fait. Elle m'a vraiment joué un sale tour. Quand je pense à ce que j'ai souffert.

— Oui, j'admets que ce n'était pas très chouette. Mais elle devait être désespérée. Tu vas lui pardonner ?

— Oui, a dit Hal. J'y ai déjà pensé. Je peux pas faire autrement, c'est ma mère. Une mère, on n'en a qu'une. Mais quand même…

Je comprenais ce qu'il voulait dire. C'était effectivement un sale tour qu'elle lui avait joué. Mais ça avait marché. Hal et Alec avaient fini par trouver un terrain d'entente. Elle avait obtenu ce qu'elle voulait. Pauvre Hal. Il était obligé de céder. Il n'avait pas le choix.

— Et… ils vont se marier, alors ? lui ai-je demandé.

— Oh, sûrement, a répondu Hal. Qu'ils se marient ! Au point où on en est ! Mais il n'est pas question qu'ils m'envoient en pension, alors ça, non !

Il avait dit ça avec fièvre.

— Ça pourrait être marrant, pourtant. Si ça se trouve, ça te plairait. Et il y a peut-être des pensions où tu pourrais jouer, je sais pas moi, au volley-ball ou autre chose. Un truc qui te plairait.

— Mmm, a dit Hal. Ouais, on verra. Mais ils ne vont pas me forcer à y aller si je ne veux pas, ça, c'est sûr.

— Évidemment, Hal, ai-je confirmé. Tu vas leur dire !

Devinez qui était sur la plage, quand on est arrivés ? M. Tweedlebendum. Il fait pratiquement partie du décor, ce monsieur, aussi incontournable que saint Pierre à la porte du paradis.

En passant devant nous avec son chien minuscule et son air affairé, il a soulevé son chapeau pour nous saluer. Je n'aurais pas su dire s'il le faisait par simple politesse ou s'il se souvenait qu'il nous avait donné un conseil à propos du cerf-volant.

Lentement, Hal a déroulé la ficelle du cerf-volant, tout en avançant. Je marchais à côté de lui. Il était presque vingt heures, pourtant il faisait encore jour. C'est ça qui est bien en juin : l'après-midi dure toute la soirée. Je me suis arrêtée pour ôter mes sandales. Le temps que je le rattrape, Hal avait déjà dévidé toute la ficelle de son cerf-volant.

Le vent était léger et, pendant un certain temps, le cerf-volant a sautillé avec incertitude en plein ciel. Je regardais autour de nous pendant que Hal s'efforçait de le faire monter. Tweedlebendum s'était arrêté pour l'observer. Je crois qu'en fait il nous avait reconnus.

À un moment, Hal a tiré d'un coup sec sur la ficelle et le cerf-volant s'est mis à monter dans l'air bleu. Il est resté quelques instants en suspens au-dessus de nos têtes, ses deux magnifiques queues pendant vers nous. Avec son contour rouge vif, il se détachait parfaitement contre la mer et le ciel, comme Hal l'avait prévu. Puis la brise l'a soulevé encore plus haut, il a tourné paresseusement, comme un nageur qui s'allonge pour faire la planche. Ses queues multicolores qui flottaient presque horizontalement derrière lui étaient encore plus belles, à présent.

Il montait, toujours, toujours plus haut, si haut que j'en avais mal à la nuque de le suivre des yeux. J'aurais aimé partir avec lui, loin au-dessus de la mer pour pouvoir contempler la campagne de là-haut. Plus haut, plus haut. Je ne l'avais jamais vu grimper à une telle hauteur.

Je me suis tournée vers Hal :

— Regarde comme il est haut. Il est très très loin dans le ciel. Je ne pensais pas que la ficelle était aussi longue.

— Elle n'est pas aussi longue, a-t-il répondu en levant les mains.

Elles ne tenaient plus rien. Il avait lâché la ficelle.

— Hal ! Ton beau cerf-volant ! Tu l'as perdu !

J'ai saisi l'une de ses mains pour le réconfor-ter, mais il souriait.

— Non, a-t-il répondu. Je ne l'ai pas perdu. (Mais il a quand même laissé sa main dans la mienne.) Je l'ai envoyé là-haut dans le bleu du ciel.

— Pourquoi ? Après tout le mal que tu t'es donné pour le fabriquer ? Pourquoi tu l'as laissé partir ?

J'avoue que j'avais aussi un petit pincement au cœur pour l'environnement. Si tout le monde s'amusait à lâcher des cerfs-volants... Mais ensuite je me suis dit que ça ne devait pas arriver si souvent.

— On pourrait dire que c'est Sonya qui m'a donné cette idée, a-t-il dit.

— Tu as parlé à Sonya ?

J'étais stupéfaite.

Il m'a tirée par le bras et nous avons couru comme des fous sur quelques mètres, le long de la plage. On s'est arrêtés net pour lever la tête et scruter le ciel. On voyait encore le cerf-volant mais ce n'était plus qu'un petit trait de couleur, à présent.

— Non, a enfin répondu Hal. Mais j'ai résolu l'énigme qu'elle m'avait posée.

— Comment ça, Haldane ?

Il a éclaté de rire, parce que j'avais prononcé son prénom entier, et de nouveau il a balancé mon bras en avant, sans me lâcher la main. Son visage rayonnait. On aurait même dit que tout son corps souriait.

— À propos de Qing Ming Jie, a-t-il expliqué, tu te souviens, la fête de la Pure Clarté. Les gens y vont parfois avec leurs cerfs-volants ; ils les laissent monter jusqu'au firmament, au royaume des ancêtres.

— Les ancêtres ?

— Les morts. Ceux qui sont morts avant nous. Ceux dont nous sommes les enfants.

— Pourquoi ? ai-je demandé.

— C'est comme un cadeau qu'on leur fait, un peu comme la statue du poète, dans le square.

— Ah !

Je commençais à comprendre. Enfin, un peu.

— Je savais que mon cerf-volant devait être bleu, a-t-il dit. Je le savais depuis le début. Mais je ne comprenais pas pourquoi.

— Et maintenant, tu sais ?

Il n'a pas répondu.

— Il est libre maintenant, Olivia. Regarde, il suit son chemin, a-t-il dit très doucement.

Nous sommes restés tous deux quelques minutes à regarder la petite tache colorée qui a fini par disparaître dans le bleu du ciel.

– Maintenant, il est simplement bleu, a dit Hal. Comme le vendredi.

Note de l'auteur

Le tableau qu'Olivia a contemplé avec ses parents – celui où elle a cru voir des gens faire voler des cerfs-volants (ce qui n'est pas le cas) – s'intitule *Un dimanche après-midi à l'île de la Grande Jatte*. Il a été peint par l'artiste français Georges Seurat entre 1884 et 1886.